D1614852

The
LITTLE BLACK
SONGBOOK

Wise Publications
part of The Music Sales Group
London / New York / Paris / Sydney / Copenhagen / Berlin / Madrid / Hong Kong / Tokyo

Published by
Wise Publications
14-15 Berners Street, London W1T 3LJ,
United Kingdom.

Exclusive distributors:
Music Sales Limited
Distribution Centre,
Newmarket Road, Bury St Edmunds, Suffolk, IP33 3YB,
United Kingdom.
Music Sales Pty Limited
20 Resolution Drive, Caringbah, NSW 2229, Australia.

Order No. AM1003057
ISBN 978-1-84938-997-6

Edited by Adrian Hopkins.
Music engraved by Paul Ewers Music Design.
Cover designed by Michael Bell Design.

Printed in E.U.

www.musicsales.com

American Pie

Words & Music by Don McLean

Intro

      G   **D/F♯ Em**   **Am**   **C**
A long, long time ago I can still remember

            Em   **D**
How that music used to make me smile.

      G   **D/F♯ Em**
And I knew if I had my chance

     Am   **C**
That I could make those people dance

      Em   **C**   **D**
And maybe they'd be happy for a while.

Em   **Am**   **Em**   **Am**
  But February made me shiver   with every paper I'd deliver,

C   **G/B**   **Am**   **C**   **D**
Bad news on the doorstep, I couldn't take one more step.

     G   **D/F♯**   **Em**   **C**   **D**
I can't remember if I cried when I read about his widowed bride.

     G   **D/F♯**   **Em**   **C**   **D**   **G**
And something touched me deep inside the day the music died.

So…

Chorus 1

     G   **C**   **G**   **D**
Bye, bye, Miss American Pie,

          G   **G**   **D**
Drove my Chevy to the levee but the levee was dry.

         G   **C**   **G**   **D**
And them good old boys were drinkin' whiskey and rye,

      Em   **A7**
Singin' this'll be the day that I die.

Em   **D7**
This'll be the day that I die.

Verse 1

    G   **Am7**
Did you write the book of love

       C   **Am7**   **Em**   **D**
And do you have faith in God above,   if the Bible tells you so?

            G   **D/F♯** **Em**   **Am7**   **C**
Now do you believe in rock and roll, can music save your mortal soul,

    Em   **A7**   **D**
And can you teach me how to dance real slow?

       Em   **D**
Well I know that you're in love with him

       Em   **D**
'Cause I   saw you dancin' in the gym.

     C   **G/B**   **A7**   **C**   **D7**
You both kicked off your shoes, man, I dig those rhythm and blues.

        G   **D/F♯** **Em**
I was a lonely teenage broncin' buck

       Am7   **C**
With a pink carnation and a pickup truck.

      G   **D/F♯** **Em**   **C**   **D7**   **G**   **C**
But I knew I was out of luck the day the music died.

G   **D**
I started singing…

Chorus 2   As Chorus 1

Verse 2

          G   **Am7**
Now, for ten years we've been on our own

         C   **Am7**   **Em**   **D**
And moss grows fat on a rolling stone but that's not how it used to be.

         G   **D/F♯**   **Em**
When the jester sang for the King and Queen

      Am7   **C**
In a coat he borrowed from James Dean,

      Em   **A7**   **D**
And a voice that came from you and me.

        Em   **D**
Oh, and while the King was looking down

     Em   **D**
The jester stole his thorny crown,

       C   **G/B**   **A7**   **C**   **D7**
The courtroom was adjourned, no verdict was returned.

       G   **D/F♯** **Em**   **Am7**   **C**
And while Lennon read a book on Marx, the quartet practiced in the park,

      G   **D/F♯** **Em**   **C**   **D7**   **G**   **C**
And we sang dirges in the dark the day the music died.

G   **D**
  We were singing…

Verse 3
G   Am7
Helter-skelter in a summer swelter,
      C   Am7
The Byrds flew off with a fallout shelter.
Em   D   G   D/F♯   Em
  Eight miles high and fallin' fast, it landed foul out on the grass,
      Am7   C
The players tried for a forward pass
          Em   A7   D
With the jester on the sidelines in a cast.
          Em   D
Now the half-time air was sweet perfume
          Em   D
While the sergeants played a marching tune.
C   G/B   A7   C   D7
We all got up to dance, oh, but we never got the chance.
          G   D/F♯   Em
'Cause the players tried to take the field,
      Am7   C   G   D/F♯   Em
The marching band refused to yield, do you recall what was revealed
      C   D7   G   C G   D
The day the music died?   We started singin'…

Chorus 4   As Chorus 1

Verse 4
      G   Am7
Oh, and there we were all in one place,
      C   Am7   Em   D
A generation lost in space with no time left to start again.
          G   D/F♯   Em
So come on, Jack be nimble, Jack be quick,
Am7   C   Em   A7   D
Jack Flash sat on a candlestick 'cause   fire is the devil's only friend.
      Em   D
Oh, and as I watched him on the stage
      Em   D
My hands were clenched in fists of rage.
C   G/B   A7   C   D7
No angel born in hell could break that Satan's spell.
          G   D/F♯   Em
And as the flames climbed high into the night
      Am7   C   G   D/F♯   Em
To light the sacrificial rite, I saw   Satan laughing with delight,
      C   D7   G   C G   D
The day the music died.   He was singin'…

8

Chorus 5   As Chorus 1

Verse 5
   G   D/F♯   Em   Am   C
  I met a girl who sang the blues and I asked her for some happy news,

   Em   D
But she just smiled and turned away.

   G   D/F♯ Em
I went down to the sacred store

   G/B   Am   G/B C
  Where I'd heard the music   years before

        Em   C   D
But the man there said the music wouldn't play.

     Em   Am
And in the streets the children screamed,

     Em   Am
The lovers cried and the poets dreamed

  C   G/B   Am   G/B C   Am
  But not a word was spoken,   the church bells all were broken.

        G   D/F♯ Em
And the three men I admire most,

   G/B   Am   D
  The Father, Son and the Holy Ghost,

   G   D/F♯   Em   C   D   G
They caught the last train for the coast, the day the music died.

And they were singin'....

Chorus 6   As Chorus 1

Chorus 7
                      G   C   G   D
They were singin', Bye, bye, Miss American Pie,

         G   C   G   D
Drove my Chevy to the levee but the levee was dry.

         G   C   G   D
And them good old boys were drinkin' whiskey and rye,

       C   D   G C G
Singin' this'll be the day that I die.

Baby, Now That I've Found You

Words & Music by Tony Macaulay & John MacLeod

C   B♭   F/A   A♭   C/G

D7/F♯   Dm   G   F   A   Em

Intro | C | C |

Chorus 1

    C   B♭
Baby,   now that I've found you

        F/A
I can't let you go

         A♭
I built my world around you

    C/G
I need you so,

      D7/F♯
Baby even though

       Dm   G
You don't need me, you don't need me.

    C   B♭
Baby,   now that I've found you

        F/A
I can't let you go

         A♭
I built my world around you

    C/G
I need you so,

      D7/F♯
Baby even though

       Dm   G
You don't need me, you don't need me.

Verse 1

    C   F   C   Dm
  Baby, baby, since first we met

    C   F   C   Dm
I knew in this heart of mine,

        C   F   C   Dm
The love we had could not be bad

    C   F   G
Play it right, and bide my time.

cont.

```
A                        Em
    Spent my life looking  for somebody
A            Em       A
    To give me love like you
G                             Dm
    Now you told me that you wanna leave me
G
    But darling, I just can't let you,
```

Chorus 2

```
C        B♭
Baby,   now that I've found you
        F/A
I can't let you go
            A♭
I built my world around you
   C/G
I need you so,
        D7/F♯
Baby even though
            Dm                    G
You don't need me, you don't need me.
C        B♭
Baby,   now that I've found you
        F/A
I can't let you go
            A♭
I built my world around you
   C/G
I need you so,
        D7/F♯
Baby even though
            Dm                    G
You don't need me, you don't need me.
```

Verse 2

```
A                        Em
    Spent my life looking  for somebody
A            Em       A
    To give me love like you
G                        Dm
Now you told me that you wanna leave me
G
But darling, I just can't let you.
```

Chorus 3   As Chorus 2   *(Repeat Chorus to fade)*

11

Band Of Gold

Words & Music by Ronald Dunbar & Edith Wayne

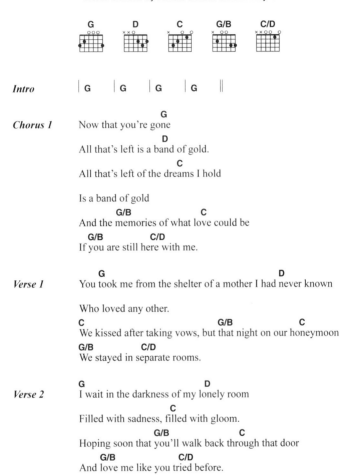

Intro | G | G | G | G ‖

Chorus 1
$\quad\quad\quad\quad\quad$ **G**
Now that you're gone
$\quad\quad\quad\quad\quad\quad$ **D**
All that's left is a band of gold.
$\quad\quad\quad\quad\quad\quad$ **C**
All that's left of the dreams I hold

Is a band of gold
$\quad\quad$ **G/B** $\quad\quad\quad\quad\quad$ **C**
And the memories of what love could be
$\quad$ **G/B** $\quad\quad$ **C/D**
If you are still here with me.

Verse 1
$\quad\quad\quad$ **G** $\quad\quad\quad\quad\quad\quad\quad\quad\quad\quad\quad\quad\quad\quad\quad\quad$ **D**
You took me from the shelter of a mother I had never known

Who loved any other.
C $\quad\quad\quad\quad\quad\quad\quad\quad\quad\quad\quad$ **G/B** $\quad\quad\quad$ **C**
We kissed after taking vows, but that night on our honeymoon
G/B $\quad\quad\quad$ **C/D**
We stayed in separate rooms.

Verse 2
G $\quad\quad\quad\quad\quad\quad\quad\quad\quad$ **D**
I wait in the darkness of my lonely room
$\quad\quad\quad\quad\quad\quad$ **C**
Filled with sadness, filled with gloom.
$\quad\quad\quad\quad\quad$ **G/B** $\quad\quad\quad\quad$ **C**
Hoping soon that you'll walk back through that door
$\quad$ **G/B** $\quad\quad\quad\quad$ **C/D**
And love me like you tried before.

12

Chorus 2

G
Since you've been gone

D
All that's left is a band of gold.

C
All that's left of the dreams I hold

Is a band of gold

G/B   **C**
And the dream of what love could be

G/B   **C/D**
If you are still here with me.

Instrumental | **G** | **G** | **D** | **D** | **C** | **C** |

                | **G** | **G** | **G** | **G**   ‖

Verse 3

                                                G   **D**
Ooh, don't you know that I wait in the darkness of my lonely room

                    C
Filled with sadness, filled with gloom.

                    G/B   **C**
Hoping soon that you'll walk back through that door

          G/B   **C/D**
And love me like you tried before.

Chorus 3

          G
‖: Since you've been gone

          D
All that's left is a band of gold.

          C
All that's left of the dreams I hold

Is a band of gold

          G/B   **C**
And the dream of what love could be

          G/B   **C/D**
If you are still here with me.   :‖   *Repeat to fade*

Beautiful Ones

Words & Music by Brett Anderson & Richard Oakes

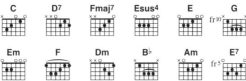

Tune guitar down one semitone

Intro ‖: C | D7 | Fmaj7 | Esus4 E :‖

Verse 1
       C   D7
Ooh, high on diesel and gasoline,
            Fmaj7
Psycho for drum machine,
                Esus4   E
Shaking their bits to the hits, oh.
C   D7
Drag acts, drug acts, suicides,
            Fmaj7
In your dad's suits you hide,
            Esus4 E
Staining his name again, oh.

Verse 2
       C   D7
Cracked up, stacked up, twenty-two,
            Fmaj7
Psycho for sex and glue,
        Esus4   E
Lost it to Bostik, yeah.
           C   D7
Oh, shaved heads, rave heads, on the pill,
               Fmaj7
Got too much time to kill,
              E   G
Get into the bands and gangs, oh.

Chorus 1

C
Here they come,

    Em
The beautiful ones,

    F
The beautiful ones,

Dm B♭
La la la la.

C
Here they come,

    Em
The beautiful ones,

    F
The beautiful ones,

Dm B♭ Am E7
La la la la la, la la.

Verse 3

C   **D7**
Loved up, doved up, hung around,

         Fmaj7
Stoned in a lonely town,

            Esus4   **E**
Shaking their meat to the beat, oh.

C   **D7**
High on diesel and gasoline,

         Fmaj7
Psycho for drum machine,

           Esus4   **E**   **G**
Shaking their bits to the hits, oh.

Chorus 2

C
Here they come,

    Em
The beautiful ones,

    F
The beautiful ones,

Dm B♭
La la la la.

C
Here they come,

    Em
The beautiful ones,

    F   **Dm**
The beautiful ones, oh oh.

Bridge

B♭   C
You don't think about it,

            Em
You don't do without it,

              F   Dm
Because you're beautiful, yeah, yeah.

B♭   C   Em
   And if your baby's going crazy,

            F   Dm
That's how you made me, la la.

B♭   C   Em
   And if your baby's going crazy,

            F   Dm
That's how you made me, woah woah,

B♭   C   Em
   And if your baby's going crazy,

            F
That's how you made me,

Dm   B♭   Am   E7
La la, la la, la.   La, la.

Outro

    C   D7
‖: La la la la, la,

              Fmaj7
La la la la la, la.

               Esus4
La la la la la la,

   E
La la la, oh.   :‖   *Repeat to fade*

Black Hole Sun

Words & Music by Chris Cornell

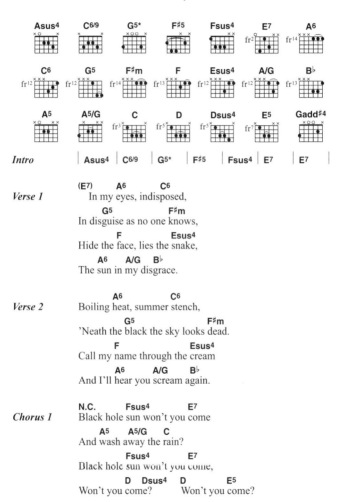

Intro | Asus⁴ | C⁶/⁹ | G5* | F♯5 | Fsus⁴ | E⁷ | E⁷ |

Verse 1
    (E⁷)   A⁶   C⁶
In my eyes, indisposed,
        G5   F♯m
In disguise as no one knows,
         F   Esus⁴
Hide the face, lies the snake,
      A⁶   A/G   B♭
The sun in my disgrace.

Verse 2
          A⁶   C⁶
Boiling heat, summer stench,
            G5   F♯m
'Neath the black the sky looks dead.
         F   Esus⁴
Call my name through the cream
       A⁶   A/G   B♭
And I'll hear you scream again.

Chorus 1
    N.C.   Fsus⁴   E⁷
Black hole sun won't you come
    A⁵   A⁵/G   C
And wash away the rain?
        Fsus⁴   E⁷
Black hole sun won't you come,
        D   Dsus⁴   D   E⁵
Won't you come?   Won't you come?

17

Verse 3

    A6   **C6**
Stuttering, cold and damp,

    G5   **F#m**
Steal the warm wind, tired friend.

   F   **Esus4**
Times are gone for honest   men

        A6   **A/G**   **B♭**
And sometimes far too long for snakes.

Verse 4

    A6   **C6**
In my shoes, a walking sleep,

    G5   **F#m**
And my youth I pray to keep.

   F   **Esus4**
Heaven send hell away,

     A6   **A/G**   **B♭**
No-one sings like you anymore.

Chorus 2

N.C.   **Fsus4**   **E7**
Black hole sun won't you come

  A5   **A5/G**   **C**
And wash away the rain?

       Fsus4   **E7**
Black hole sun won't you come,

       D   **Dsus4 D** **C**
Won't you come?

       Fsus4   **E7**
Black hole sun won't you come

  A5   **A5/G**   **C**
And wash away the rain?

       Fsus4   **E7**
Black hole sun won't you come,

     D **Dsus4 D C E5**   **D** **Dsus4 D C E5**
Won't you come? _____   Won't you come?_____

     D **Dsus4 D C E5**   **D** **Dsus4 D C E5**
Won't you come? _____   Won't you come?_____

           Play 6 times

Instrumental ‖: **E5** | **Gadd#4** :‖ **G5***   **A5** |

Link

    A6   **C6**
Hang my head, drown my fear

    G5   **F#m**
'Til you all just disappear.

Chorus 3

      N.C.   **Fsus⁴**   **E⁷**
Black hole sun won't you come

      A⁵   **A⁵/G**   **C**
And wash away the rain?

           Fsus⁴   **E⁷**
Black hole sun won't you come,

          D **Dsus⁴** **D** **C**
Won't you come?

           Fsus⁴   **E⁷**
Black hole sun won't you come

      A⁵   **A⁵/G**   **C**
And wash away the rain?

           Fsus⁴   **E⁷**
Black hole sun won't you come,

         D **Dsus⁴** **D** **C** **E⁵**   **D** **Dsus⁴** **D** **C** **E⁵**
Won't you come?_____ Won't you come?_____

         D **Dsus⁴** **D** **C** **E⁵**   **D** **Dsus⁴** **D** **C** **E⁵**
Won't you come?_____ Won't you come?_____

         D **Dsus⁴** **D** **C** **E⁵**   **D** **Dsus⁴** **D** **C** **E⁵**
Won't you come?_____ Won't you come?_____

         D **Dsus⁴** **D** **C** **E⁵**   **D** **Dsus⁴** **D** **C** **E⁵**
Won't you come?_____ Won't you come?_____

Outro | **E⁵** | **Gadd♯⁴** | **G⁵*** **A⁵** ||

Borderline

Words & Music by Reggie Lucas

[Chord diagrams: A/C# F#7/A# Bm7 A E/G# Em7 D/F# D/A]

[Chord diagrams: C G/B D B7/D# F#m7 Gmaj7 G/A Asus4]

Intro | A/C# | F#7/A# | Bm7 A | E/G# |

| Em7 | D/F# | D/A A | A :||

||: D | C G/B | D | C G/B :|| *Play 4 times*

Verse 1
D   C   G/B   D C
Something in the way you love me won't   let me be,
G/B   D
  I don't want to be your prisoner,
    C   G/B   D C
So baby won't you set me free?
G/B   D
  Stop playing with my heart,
 C   G/B
Finish what you start,
  D   C
When you make my love come down.
G/B   D
  If you want me let me know,
 C   G/B
Baby let it show,
  D
Honey don't you fool around.

Pre-chorus 1
Bm7   B7/D#   Em7
  Just try to understand,
    A/C#   F#m7
I've given all I can,
      Gmaj7   G/A A Asus4
'Cause you got the best of me.

Chorus 1

     A A/C♯   **F♯7/A♯**
     Borderline,

             Bm7   **A**   **E/G♯**
     Feels like I'm going to lose my mind.

          Em7   **D/F♯**   **D/A A**   **D/A A**
     You just keep on pushing my love over the bor - derline.

     A/C♯   **F♯7/A♯**
     Borderline,

             Bm7   **A**   **E/G♯**
     Feels like I'm going to lose my mind.

          Em7   **D/F♯**   **D/A A**   **D/A A**
     You just keep on pushing my love over the bor - derline.

     A/C♯   **F♯7/A♯**
     Keep on pushing me baby,

             Bm7   **A**   **E/G♯**
     Don't you know you drive me crazy?

          Em7   **D/F♯**   **D/A A**   **D/A A**
     You just keep on pushing my love over the bor - derline.

Instrumental ‖: **D** | **C G/B** | **D** | **C G/B** :‖

Verse 2

     D   **C**   **G/B**   **D C**
     Something in your eyes is making such a fool of me,

     G/B   **D**
      When you hold me in your arms,

         C   **G/B**   **D C**
     You love me 'til I just can't see.

     G/B   **D**
      But then you let me down,

      C   **G/B**
     When I look around,

     D   **C**
     Baby you just can't be found.

     G/B   **D**
      Stop driving me away,

     C   **G/B**
     I just wanna stay,

          D
     There's something I just got to say:

Pre-chorus 2 As Pre-chorus 1

Chorus 2   As Chorus 1

Chorus 3

  A/C♯   F♯7/A♯   Bm7

‖: Look what your love has done to me,

          A   E/G♯

Come on baby set me free,

       Em7   D/F♯   D/A A   D/A A

You just keep on pushing my love over the bor - derline.

A/C♯   F♯7/A♯

  You cause me so much pain,

              Bm7

I think I'm going insane,

           A   E/G♯

What does it take to make you see?

       Em7   D/F♯   D/A A   D/A A

You just keep on pushing my love over the bor - derline.   :‖

Repeat to fade w/ad lib vocals

The Boys Are Back In Town

Words & Music by Phil Lynott

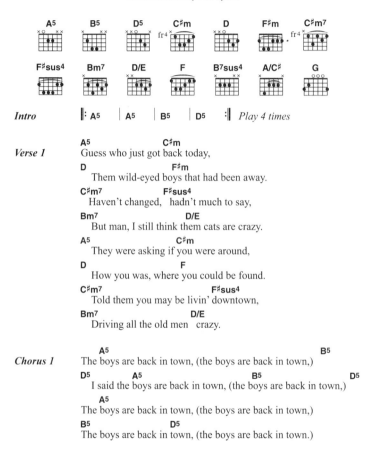

Intro ‖: A5 | A5 | B5 | D5 :‖ *Play 4 times*

Verse 1

     A5   C♯m
Guess who just got back today,

     D   F♯m
    Them wild-eyed boys that had been away.

     C♯m7   F♯sus4
  Haven't changed,   hadn't much to say,

     Bm7   D/E
    But man, I still think them cats are crazy.

     A5   C♯m
    They were asking if you were around,

     D   F
    How you was, where you could be found.

     C♯m7   F♯sus4
    Told them you may be livin' downtown,

     Bm7   D/E
    Driving all the old men crazy.

Chorus 1

         A5   B5
The boys are back in town, (the boys are back in town,)

   D5   A5   B5   D5
    I said the boys are back in town, (the boys are back in town,)

     A5
The boys are back in town, (the boys are back in town,)

   B5   D5
The boys are back in town, (the boys are back in town.)

Instrumental 1 ‖: **A5** | **B7sus4** **A/C♯** | **D/E** :‖

Verse 2

A5   **C♯m**
You know that chick that used to dance a lot?

D   **F♯m**
Every night she'd be on the floor shakin' what she got.

C♯m7   **F♯sus4**
Man, when I tell you she was cool, she was red hot,

Bm7   **D/E**
I mean... she was steaming!

A5   **C♯m**
And that time over at Johnny's place,

D   **F**
Well, this chick got up and she slapped Johnny's face.

C♯m7   **F♯sus4**
Man, we just fell about the place,

Bm7   **D/E**
If that chick don't wanna know,   forget her.

Chorus 2

                A5   **B5**
The boys are back in town, (the boys are back in town,)

D5   **A5**   **B5**   **D5**
    I said the boys are back in town, (the boys are back in town,)

                A5
The boys are back in town, (the boys are back in town,)

B5   **D5**
The boys are back in town, (the boys are back in town.)

Instrumental 2 ‖: **A5** | **B7sus4** | **A/C♯** | **D/E** :‖

‖: **G** | **D** | **C♯m7** | **F♯sus4** | **Bm7** | **D/E** | **F♯sus4** | **F♯sus4** :‖

Verse 3

A5   **C♯m**
Friday night   dressed to kill,

D   **F♯m**
Down at Dino's bar and grill.

C♯m7   **F♯sus4**
The drink will flow   and blood will spill

Bm7   **D/E**
And if the boys wanna fight you better let 'em.

24

cont.

A5   C♯m   D

That jukebox in the corner blasting out my favourite song,

                                       F   C♯m7

These nights are getting warmer and it won't be long,

                             F♯sus4

Won't be long till summer comes

Bm7   D/E

Now that the boys are here again.

Chorus 3

     A5   B5

The boys are back in town, (the boys are back in town,)

D5   A5   B5   D5

  The boys are back in town, (the boys are back in town,)

     A5

The boys are back in town, (the boys are back in town,)

B5   D5   A5

  Spread the word around, the boys are back in town,

(The boys are back in town.)

| B5 | D5 | ‖

Instrumental 3 ‖: A5 | A5 | G | F♯m | G | F♯m | D | D/E :‖

‖: A5 | B7sus4 | A/C♯ | D/E :‖ *Play 6 times to fade*

25

Born To Be Wild

Words & Music by Mars Bonfire

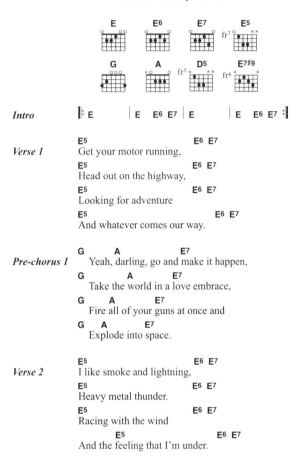

Intro
‖: E | E E6 E7 | E | E E6 E7 :‖

Verse 1
E5
Get your motor running,   E6 E7

E5
Head out on the highway,   E6 E7

E5
Looking for adventure   E6 E7

E5
And whatever comes our way.   E6 E7

Pre-chorus 1
G   A   E7
    Yeah, darling, go and make it happen,

G   A   E7
    Take the world in a love embrace,

G   A   E7
    Fire all of your guns at once and

G   A   E7
    Explode into space.

Verse 2
E5   E6 E7
I like smoke and lightning,

E5   E6 E7
Heavy metal thunder.

E5   E6 E7
Racing with the wind

          E5   E6 E7
And the feeling that I'm under.

Pre-chorus 2   As Pre-chorus 1

Chorus 1

      E
Like a true Nature's child

      G
We were born, born to be wild.

      A
We can climb so high,

G   **E5**
  I never want to die.

E5   **D5**   **E5** **D5**
Born to be wild.

E5   **D5**   **E5** **D5**
Born to be wild.

Organic solo

‖: E | E | E | E :‖

‖: E7♯9 | E7♯9 | E7♯9 | E7♯9 :‖

| E | E | E | E | E N.C. | N.C. ‖
Drum fill

Verse 3   As Verse 1

Pre-chorus 3 As Pre-chorus 1

Chorus 2   As Chorus 1

Coda

E5   **D5**   **E5** **D5**
Born to be wild.

E5   **D5**   **E5** **D5**
Born to be wild.

‖: E | E | E | E :‖

| E7♯9 | E7♯9 | E7♯9 | E7♯9 | E7♯9 ‖ *To fade*

Brimful Of Asha

Words & Music by Tjinder Singh

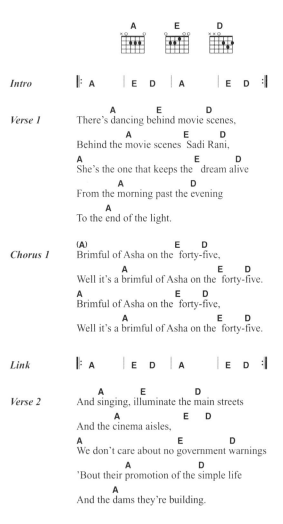

Intro

‖: A | E D | A | E D :‖

Verse 1

     A   E   D
There's dancing behind movie scenes,

          A   E   D
Behind the movie scenes Sadi Rani,

A   E   D
She's the one that keeps the   dream alive

          A   D
From the morning past the evening

 A
To the end of the light.

Chorus 1

 (A)   E   D
Brimful of Asha on the forty-five,

          A   E   D
Well it's a brimful of Asha on the forty-five.

A   E   D
Brimful of Asha on the forty-five,

          A   E   D
Well it's a brimful of Asha on the forty-five.

Link

‖: A | E D | A | E D :‖

Verse 2

     A   E   D
And singing, illuminate the main streets

          A   E   D
And the cinema aisles,

A   E   D
We don't care about no government warnings

          A   D
'Bout their promotion of the simple life

         A
And the dams they're building.

28

Chorus 2   As Chorus 1

            A   D

Bridge 1   Everybody needs a bosom for a pillow,

            A   D

Everybody needs a bosom.

A   D

Everybody needs a bosom for a pillow,

A   D

Everybody needs a bosom.

A   D

Everybody needs a bosom for a pillow,

A   D

Everybody needs a bosom.

Mine's on the forty-(five.)

Link   ‖: A | E D | A | E D :‖

five.

            A   E   D

Verse 3   Mohamid Rufi. (Forty-five.)

A   E   D

Lata Mangeskar. (Forty-five.)

A   E   D

Solid state radio. (Forty-five.)

A   E   D

Ferguson mono. (Forty-five.)

A   E   D

Bon Publeek. (Forty-five.)

A   D

Jacques Dutronc and the Bolan Boogie,

        A   D

The Heavy Hitters and the chi-chi music,

A   E   D

All India Radio. (Forty-five.)

A   E   D

Two-in-ones. (Forty-five.)

A   E   D

Argo records. (Forty-five.)

A   E   D

Trojan records. (Forty-five.)

Chorus 3

    A   E   D
Brimful of Asha on the forty-five,

               A   E   D
Well it's a brimful of Asha on the forty-five.

    A   E   D
Brimful of Asha on the forty-five,

               A   E   D
Well it's a brimful of Asha on the forty-five.

Bridge 2

A   D
Everybody needs a bosom for a pillow,

A   D
Everybody needs a bosom.

A   D
Everybody needs a bosom for a pillow,

A   D
Everybody needs a bosom.

A   D
Everybody needs a bosom for a pillow,

A   D
Everybody needs a bosom.

Mine's on the forty-(five.).

Link

‖: A | E   D | A | E   D :‖
   five.

Verse 4

A   E   D
Seventy-seven thousand piece orchestra set.

A
Everybody needs a bosom for a pillow,

E   D
Mine's on the r.p.m.

Chorus 4   As Chorus 3

Bridge 3   ‖: As Bridge 2 :‖   *Repeat to fade*

Brown Eyed Girl

Words & Music by Van Morrison

G C D D7 Em

Intro

| G | C | G | D |
| G | C | G | D |

Verse 1

G   C
Hey, where did we go
G   D
Days when the rains came?
G   C
Down in the hollow,
G   D
Playing a new game.
G   C
Laughing and a runnin', hey hey,
G   D
Skipping and a - jumpin'
G   C
In the misty morning fog with
G   D
Our, our hearts a - thumpin' and

Chorus 1

C   D7   G   Em
You,   my brown eyed girl.
C   D7   G   D
And you, my   brown eyed girl.

Verse 2

G   C
   And what ever happened

G   D
   To Tuesday and so slow?

G   C
   Going down to the old mine

       G   D
With a   transistor radio.

G   C
   Standing in the sunlight laughing,

G   D
   Hiding behind a rainbow's wall.

G   C
   Slipping and a - sliding

G   D
   All along the waterfall with

Chorus 2

C   D7   G   Em
You,   my brown eyed girl.

C   D7   G   D7
   You, my   brown eyed girl.

Do you remember when

        G
We used to sing

       C
Sha la la la la la la,

G   D7
La la la la de da.

Just like that

G   C
  Sha la la la la la la,

G   D7
La la la la de da,

      (G)
La de da.

Link | G | G | G | G | G | C | G | D ‖

Verse 3

G   C
So hard to find my way

G   D
Now that I'm all on my own

G   C
I saw you just the other day

G   D
My how you have grown

G   C
Cast my memory back there, Lord

G   D
Sometimes I'm overcome thinkin' about it

G   C
Makin' love in the green grass

G   D
Behind the stadium with

Chorus 3

C   D7   G   Em
You,   my brown eyed girl

C   D7   G   D7
And you, my   brown eyed girl.

Do you remember when

         G
We used to sing

:| G   C
   Sha la la la la la,

G   D7
La la la la de da.
(Lying in the green grass)

G   C
   Sha la la la la la,

G   D7
La la la la de da, :| *Repeat ad lib. to fade*

California Dreamin'

Words & Music by John Phillips & Michelle Phillips

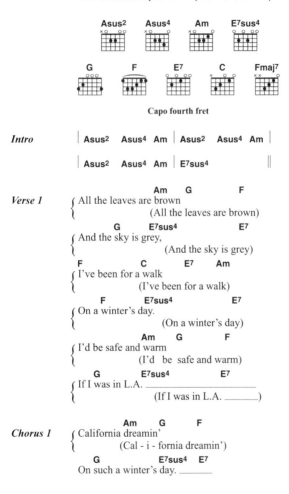

Capo fourth fret

Intro | Asus²   Asus⁴   Am | Asus²   Asus⁴   Am |

         | Asus²   Asus⁴   Am | E⁷sus⁴ ||

Verse 1

            Am   **G**   **F**
All the leaves are brown
              (All the leaves are brown)

      G   **E⁷sus⁴**   **E⁷**
And the sky is grey,
          (And the sky is grey)

F   **C**   **E⁷**   **Am**
I've been for a walk
         (I've been for a walk)

     F   **E⁷sus⁴**   **E⁷**
On a winter's day.
          (On a winter's day.)

       Am   **G**   **F**
I'd be safe and warm
         (I'd be safe and warm)

    G   **E⁷sus⁴**   **E⁷**
If I was in L.A. _____
       (If I was in L.A. _____)

Chorus 1

       Am   **G**   **F**
California dreamin'
       (Cal - i - fornia dreamin')
     G   **E⁷sus⁴**   **E⁷**
On such a winter's day. _____

                                Am   G
Verse 2   Stopped into a church
                     F   G   E7sus4
                        I passed along the way,
                     E7   F   C   E7   Am
                   { Well, I got down on my knees
                   {   (Got down on my knees)
                            F   E7sus4   E7
                   { And I pretend to pray.
                   {   (I pretend to pray)
                                        Am   G   F
                   { You know the preacher like the cold
                   {   (Preacher like the cold)
                            G   E7sus4   E7
                   { He knows I'm gonna stay.
                   {   (Knows I'm gonna stay.)

                            Am   G   F
Chorus 2   { California dreamin'
                   {   (Cal - i - fornia dreamin')
                        G   E7sus4   E7
                     On such a winter's day. _____

Flute solo | Am | Am | Am | Am   F |

                  | C   E7 | Am   F | E7sus4 | E7 |

                  ‖: Am G | F   G | E7sus4 | E7   :‖

                                Am   G   F
Verse 3   { All the leaves are brown
                   {   (All the leaves are brown)
                            G   E7sus4   E7
                   { And the sky is grey,
                   {   (And the sky is grey)
                     F   C   E7   Am
                   { I've been for a walk
                   {   (I've been for a walk)
                            F   E7sus4   E7
                   { On a winter's day.
                   {   (On a winter's day)

                                35

cont.

                Am   **G**   **F**

        { If I didn't tell her
        {   (If I   didn't tell her)

            G   **E7sus4**   **E7**

        { I could leave today.
        {   (I could leave today.)

Outro

             Am   **G**   **F**

        { California dreamin'
        {   (Cal - i - fornia dreamin')

      G   **Am**   **G**   **F**

        { On such a winter's day,
        {   (California dreamin')

      G   **Am**   **G**   **F**

        { On such a winter's day,
        {   (California dreamin')

      G   **Fmaj7** **Am**

      On such a winter's day. _____

The Cave

Words & Music by Mumford & Sons

C#m7   E/B   G#5   E   A(add9)/E   B   C#m7*   A

⑥ = D   ③ = F#
⑤ = A   ② = A
④ = D   ① = D

Capo second fret

Intro
| C#m7 | E/B | C#m7 | E/B |
| C#m7 | E/B G#5 | E A(add9/E) | E |

Verse 1

(E)   C#m7   E/B
It's empty in the valley of your heart,

                    C#m7   E/B
The sun, it rises slowly as you walk

                    C#m7
Away from all the fears

            E/B   G#5   E   A(add9)/E E
And all the faults you've left be - hind.

                    C#m7   E/B
The harvest left no food for you to eat,

                    C#m7   E/B
You cannibal, you meat-eater, you see.

                    C#m7
But I have seen the same,

            E/B   G#5   E   A(add9)/E E
I know the shame in your de - feat.

Chorus 1

E   A(add9)/E E
But I will hold on   hope

            A(add9)/E E
And I won't let you   choke

A(add9)/E E   B
On   the   noose a - round your neck.

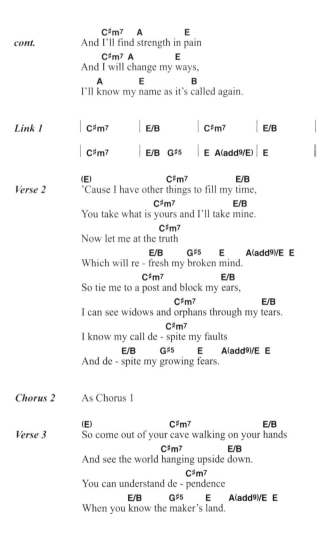

cont.

         C#m7   A   E
And I'll find strength in pain

         C#m7 A   E
And I will change my ways,

        A   E   B
I'll know my name as it's called again.

Link 1

| C#m7 | E/B | C#m7 | E/B |
| C#m7 | E/B G#5 | E A(add9/E) | E |

Verse 2

(E)   C#m7   E/B
'Cause I have other things to fill my time,

             C#m7   E/B
You take what is yours and I'll take mine.

            C#m7
Now let me at the truth

           E/B   G#5   E   A(add9)/E E
Which will re - fresh my broken mind.

            C#m7   E/B
So tie me to a post and block my ears,

              C#m7   E/B
I can see widows and orphans through my tears.

            C#m7
I know my call de - spite my faults

        E/B   G#5   E   A(add9)/E E
And de - spite my growing fears.

Chorus 2   As Chorus 1

Verse 3

(E)   C#m7   E/B
So come out of your cave walking on your hands

            C#m7   E/B
And see the world hanging upside down.

             C#m7
You can understand de - pendence

        E/B   G#5   E   A(add9)/E E
When you know the maker's land.

Chorus 3

    E   A(add9)/E E
So make your siren's   call

          E   A(add9)/E E
And sing all you   want,

     A(add9)/E E   B
I will not   hear what you have to say.

          C♯m7* A   E
'Cause I need freedom now

        C♯m7* A   E
And I need to know how

     A   E   B
To live my life as it's meant to be.

Instrumental ‖: E | A   E | E | A   E | A   E | B   :‖

Chorus 4

    E   A(add9)/E E
And I will hold on   hope

                A(add9)/E E
And I won't let you   choke

A(add9)/E E   B
On   the   noose a - round your neck.

          C♯m7* A   E
And I'll find strength in pain

        C♯m7* A   E
And I will   change my ways,

     A   E   B   E
I'll know my name as it's called again.

Chain Reaction

Words & Music by Barry Gibb, Maurice Gibb & Robin Gibb

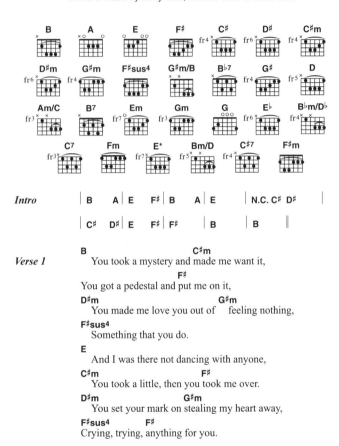

Intro | B   A E   F♯ | B   A E | N.C. C♯ D♯ |

| C♯   D♯ | E   F♯ | F♯ | | B | | B   ‖

Verse 1

    B   C♯m
    You took a mystery and made me want it,

                  F♯
You got a pedestal and put me on it,

D♯m   G♯m
    You made me love you out of   feeling nothing,

F♯sus4
Something that you do.

E
    And I was there not dancing with anyone,

C♯m   F♯
    You took a little, then you took me over.

D♯m   G♯m
    You set your mark on stealing my heart away,

F♯sus4   F♯
Crying, trying, anything for you.

Chorus 1

C#
I'm in the middle of a chain reaction,

G#m/B
You give me all the after midnight action,

B♭7   D#m   G#
I wanna get you where I can let you make all that love to me.

D
I'm on a journey for the inspiration,

Am/C
To anywhere and there ain't no salvation,

B7
I need you to get me nearer to you

  Em   Gm
So you can set me free.

              D   G
We talk about love, love, love,

              D
We talk about love.

                      G
We talk about love, love, love,

              D
We talk about love.

Link

| D | D   E | F# | F# | B | B   ‖

(love.)

Verse 2

B   C#m
You make me tremble when your hand moves lower,

                                F#
You taste a little then you swallow slower.

D#m   G#m
Nature has a way of yielding treasure,

F#sus4
Pleasure made for you, oh.

E
You gotta plan, your future is on the run,

C#m   F#
Shine a light for the whole world over.

D#m   G#m
You'll never find your love if you hide away,

F#sus4   F#
Crying, dying, all you gotta do is,

41

Chorus 2

C♯
    Get in the middle of a chain reaction,

G♯m/B
    You get a medal when you're lost in action.

B♭7   D♯m
    I wanna get your love all ready for the sweet sensation,

   G♯
Instant radiation.

D
    You let me hold you for the first explosion,

Am/C
    We get a picture of our love in motion.

   B7
My arms will cover, my lips will smother you

      Em   Gm
With no more left to say.

                D   G
We talk about love, love, love,

                D
We talk about love.

Bridge

C♯   G♯m/B
    Let let me hold you for the first explosion,

B♭7
    Arms will cover you,

All you gotta do...

Chorus 3

   E♭
𝄆 Get in the middle of a chain reaction,

B♭m/D♭
    You get a medal when you're lost in action.

C7   Fm
    I wanna get your love all ready for the sweet sensation,

   B♭
Instant radiation.

E*
    You let me hold you for the first explosion,

Bm/D
    We get a picture of our love in motion.

C♯7
    My arms will cover, my lips will smother you

      F♯m   D
With no more left to say. 𝄇 *Repeat to fade*

Chasing Pavements

Words & Music by Adele & Eg White

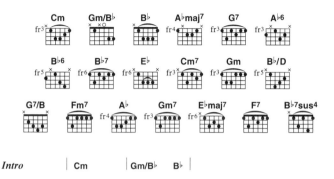

Intro | Cm | Gm/B♭ B♭ |

Verse 1
      Cm
I've made up my mind,
    Gm/B♭   **B♭**
Don't need to think it over,
      A♭maj7
If I'm wrong, I am right,
     G7
Don't need to look no further,
       A♭6 **B♭6** **B♭7** **E♭** **Cm7**
This ain't lust, I know this is love.

Verse 2
    Gm   **E♭**
But if I tell the world,
    B♭/D
I'll never say enough,
     Cm
'Cause it was not said to you,
       G7/B   **G7**
And that's ex - actly what I need to do,
  A♭6 **B♭6** **B♭7**
If I end up   with you.

Chorus 1

Abmaj7
Should I give up,

Gm   Cm   Fm7   Ab
   Or should I just keep chasing pavements?

Ab6   Gm7   G7
Even if it leads no - where?

   Abmaj7   Gm
Or would it be a waste,

Cm   Fm7   Ab   Ab6   G7
Even if I knew my place, should I leave it there?

Abmaj7
Should I give up,

Gm   Cm   Fm7   Ab
   Or should I just keep chasing pavements?

Ab6   Gm7   Ebmaj7
Even if it leads nowhere?

Verse 3

Cm
I build myself up,

   Gm/Bb   Bb
And fly   around in circles,

     Abmaj7
Waiting as my heart drops,

   G7
And my back begins to tingle,

   Ab6   Bb6   Bb7
Final - ly   could this be it?

Chorus 2

Abmaj7
Or should I give up,

Gm   Cm   Fm7   Ab
   Or should I just keep chasing pavements?

Ab6   Gm7   G7
Even if it leads no - where?

   Abmaj7   Gm
Or would it be a waste,

Cm   Fm7   Ab   Ab6   G7
Even if I knew my place, should I leave it there?

cont.

A♭maj7
Should I give up,

Gm   Cm   Fm7   A♭
   Or should I just keep chasing pavements?

A♭6   Gm7   E♭
Even if it leads nowhere? Yeah.

A♭
Chorus 3   Should I give up,

          Gm
Or should I just keep chasing pavements?

     A♭6   B♭7
Even if it leads no - where?

         A♭
Or would it be a waste,

      G7
Even if I knew my place,

       F7
Should I leave it there?

       B♭7sus4
Should I give up,

            A♭maj7   Gm Cm   Fm7
Or should I just keep on   chasing   pavements?

A♭   Gm7   Cm   Fm7   A♭   A♭6 B♭
   Should I just keep on   chasing   pavements?   Oh.

A♭maj7
Chorus 4   Should I give up,

Gm   Cm   Fm7   A♭
   Or should I just keep chasing pavements?

A♭6   Gm7   G7
Even if it leads nowhere?

   A♭maj7   Gm
Or would it be a waste,

Cm   Fm7   A♭   A♭6   G7
Even if I knew my place, should I leave it there?

A♭maj7
Should I give up,

Gm   Cm   Fm7   A♭
   Or should I just keep chasing pavements?

A♭6   Gm7   E♭
Even if it leads nowhere?___

China In Your Hand

Words & Music by Carol Decker & Ronald Rogers

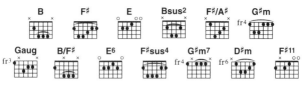

Tune guitar slightly flat

Intro | **B** **F♯** **E** | **B** **F♯** **E** ‖

Verse 1

          B
It was a theme she had on a scheme he had

F♯   **E**   **B**
Told in a foreign land,

                    Bsus2
To take life on Earth to the second birth

          F♯   **E**   **B**   **F♯/A♯**
And the man was in com - mand.

         G♯m   **Gaug**
It was a flight on the wings of a young girl's dreams

    B/F♯   **E6**   **F♯sus4**
That flew too far a - way.

Chorus 1

E   **F♯**   **B**   **F♯/A♯** **G♯m7** **B/F♯**
Don't push too far, your dreams are china in your hand,

E   **F♯**   **D♯m**
Don't wish too hard because they may come true

    E   **F♯**
And you can't have them.

E   **F♯**   **B**   **F♯/A♯**   **G♯m7** **B/F♯** **E**
You don't know what you might have set up - on your - self.

F♯11
China in your hand.

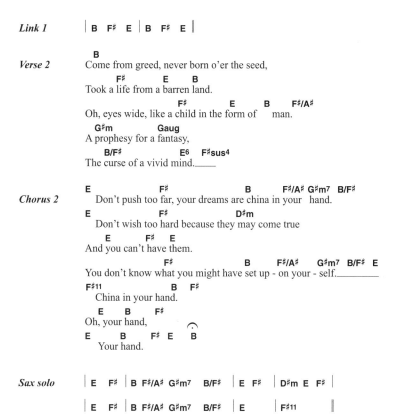

Link 1 | B F♯ E | B F♯ E ‖

Verse 2

    B
Come from greed, never born o'er the seed,

      F♯   E   B
Took a life from a barren land.

                    F♯   E   B   F♯/A♯
Oh, eyes wide, like a child in the form of   man.

    G♯m   Gaug
A prophesy for a fantasy,

      B/F♯   E6   F♯sus4
The curse of a vivid mind.____

Chorus 2

E   F♯   B   F♯/A♯ G♯m7 B/F♯
  Don't push too far, your dreams are china in your hand.

E   F♯   D♯m
  Don't wish too hard because they may come true

     E   F♯   E
And you can't have them.

                  F♯   B   F♯/A♯   G♯m7 B/F♯ E
You don't know what you might have set up - on your - self._____

F♯11   B   F♯
  China in your hand.

    E   B   F♯
Oh, your hand,

E   B   F♯ E   B
  Your hand.

Sax solo | E F♯ | B F♯/A♯ G♯m7 B/F♯ | E F♯ | D♯m E F♯ |

            | E F♯ | B F♯/A♯ G♯m7 B/F♯ | E | F♯11 ‖

47

Chorus 3

E   F♯   B   F♯/A♯ G♯m7 B/F♯
Don't push too far, your dreams are china in your hand.
E   F♯   D♯m
Don't wish too hard because they may come true
     E   F♯ E
And you can't have them.
          F♯   B   F♯/A♯   G♯m7 B/F♯ E
You don't know what you might have set up - on your - self.___
F♯   F♯11
But you shouldn't push too hard no, no.

Chorus 4

E   F♯   B   F♯/A♯ G♯m7 B/F♯
Don't push too far, your dreams are china in your hand.
E   F♯   D♯m
Don't wish too hard because they may come true
     E   F♯ E
And you can't have them.
          F♯   B   F♯/A♯   G♯m7 B/F♯
You don't know what you might have set up - on your - self.___
         E   F♯11
'Cause they're only dreams, and you shouldn't push too hard, no, no.

E   F♯   B   F♯/A♯   G♯m7 *To fade*

Common People

Words by Jarvis Cocker
Music by Jarvis Cocker, Nick Banks,
Russell Senior, Candida Doyle & Stephen Mackey

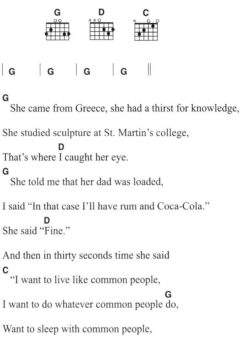

Intro | G | G | G | G ‖

Verse 1

     G
     She came from Greece, she had a thirst for knowledge,

She studied sculpture at St. Martin's college,

         D
That's where I caught her eye.

G
     She told me that her dad was loaded,

I said "In that case I'll have rum and Coca-Cola."

    D
She said "Fine."

And then in thirty seconds time she said

C
    "I want to live like common people,

                    G
I want to do whatever common people do,

Want to sleep with common people,

                    D
I want to sleep with common people like you."

Well, what else could I do?

                  G
I said, "I'll, I'll see what I can do."

Verse 2

(G)
I took her to a supermarket,

                                D
I don't know why but I had to start it somewhere, so it started there.

G
  I said "Pretend you've got no money."

                                    D
She just laughed and said "Oh, you're so funny." I said "Yeah?

Well I can't see anyone else smiling in here.

         C
Are you sure you want to live like common people,

                       G
You want to see whatever common people see,

You want to sleep with common people,

                   D
You want to sleep with common people like me?"

                            G
But she didn't understand, she just smiled and held my hand.

Verse 3

Rent a flat above a shop, cut your hair and get a job,

      D
Smoke some fags and play some pool, pretend you never went to school,

        G
But still you'll never get it right 'cause when you're laid in bed at night

      D
Watching 'roaches climb the wall,

If you called your dad he could stop it all, yeah.

C
  You'll never live like common people,

                       G
You'll never do whatever common people do.

You'll never fail like common people,

                   D
You'll never watch your life slide out of view,

And then dance and drink and screw

               G
Because there's nothing else to do.

Instrumental ‖: G | G | G | G |

                    | D | D | D | D   :‖

Verse 4

    C
    Sing along with the common people,

                               G
Sing along and it might just get you through.

Laugh along with the common people,

                                       D
Laugh along even though they're laughing at you,

And the stupid things that you do,

                      G
Because you think that poor is cool.

Verse 5

Like a dog lying in the corner,

They will bite you and never warn you,

    D
Look out, they'll tear your insides out,

G
   'Cause everybody hates a tourist,

                              D
Especially one who thinks it's all such a laugh,

And the chip stains and grease will come out in the bath.

          C
You will never understand how it feels to live your life

          G
With no meaning or control and with nowhere left to go.

       D
You are amazed that they exist,

                                  G
And they burn so bright whilst you can only wonder why.

Verse 6   As Verse 3

Outro | **G** | **G** | **G** | **G**   ‖

    (G)
‖: Want to live with common people like you. :‖ *Play 7 times*

‖: Oh, la, la, la, la. :‖   *Play 4 times*

Oh yeah.

Constant Craving

Words & Music by K.D. Lang & Ben Mink

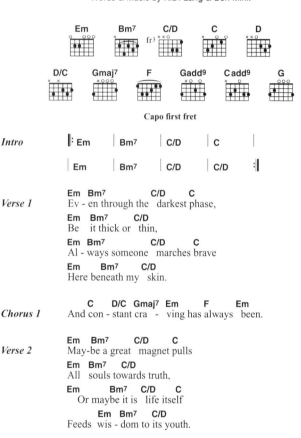

Capo first fret

Intro

‖: Em | Bm⁷ | C/D | C |

| Em | Bm⁷ | C/D | C/D :‖

Verse 1

Em Bm⁷   C/D   C
Ev - en through the   darkest phase,

Em Bm⁷   C/D
Be   it thick or   thin,

Em Bm⁷   C/D   C
Al - ways someone   marches brave

Em   Bm⁷   C/D
Here beneath my   skin.

Chorus 1

          C   D/C Gmaj⁷ Em   F   Em
And con - stant cra - ving has always   been.

Verse 2

Em Bm⁷   C/D   C
May-be a great   magnet pulls

Em Bm⁷   C/D
All   souls towards truth,

Em   Bm⁷   C/D   C
     Or maybe it is   life itself

            Em Bm⁷   C/D
Feeds wis - dom to its youth.

Chorus 2

          C   D/C Gmaj⁷ Em   F   Em
And con - stant cra - ving has always   been.

Bridge

Gadd9   Cadd9
Cra - ving,

   G   Gadd9 D/C C
Ah-hah constant   cra - ving

     D   Cadd9   D   Cadd9
Has always   been, has al - ways been.

Guitar solo

‖: Em | Bm7 | C/D | C |

| Em | Bm7 | C/D | C/D :‖

Chorus 3

C   D/C Gmaj7 Em   F   Em
Con - stant cra - ving has always been.

C   D/C Gmaj7 Em   F   G
Con - stant cra - ving has always been.

Coda

Gadd9   Cadd9
Cra - ving,

   G   Gadd9 D/C C
Ah-hah constant   cra - ving

     D   Cadd9   D   Cadd9
‖: Has always __ been, has always __ been. :‖ *Repeat to fade*

Crazy Crazy Nights

Words & Music by Paul Stanley & Adam Mitchell

Intro
| G Gsus4 G D | C G/B D |
Whoa!

(Spoken)
G   Gsus4 G   C   G/B D
Here's a little   song for everybody   out there.

Verse 1
G Gsus4 G D C   G/B   D   G Gsus4 G | C G/B D |
People try to take my   soul away,

G Gsus4   G   D C G/B D   G Gsus4 G | C G/B D |
But I don't hear the rap that   they all say.

Cadd9   Dsus4
They try to tell us we don't belong,

Am7   Em7   Dsus4
That's all right, we're millions strong.

Am7   Bm7
This is my music, it makes me proud,

Cadd9   Am7   D
These are my people and this is my crowd.

Chorus 1
              G   D   Em   Cadd9 D   C D
These are crazy, crazy, crazy, crazy   nights.

              G   D   Em   Cadd9 D   C D C
These are crazy, crazy, crazy, crazy   nights.

Verse 2
G Gsus4   G   D C G/B   D   G Gsus4 G | C G/B D |
Sometimes days are so hard to survive,   oh yeah,

G   Gsus4 G   C   G/B D   G Gsus4 G | C G/B D |
A million ways to bu - ry   you alive.   Hey!

Cadd9   Dsus4
The sun goes down like a bad, bad dream,

cont.

        Am7   **Em7**   **Dsus4**
You're wound up tight, gotta let off steam.

        Am7   **Bm7**
They say they can break you again and again.

  Cadd9   **Am7**   **D**
If life is a radio, turned up to ten.

Chorus 2

       G   **D**   **Em** **Cadd9** **D**   **C** **D**
These are crazy, crazy, crazy, crazy   nights.

       G   **D**   **Em** **Cadd9** **D**   **C** **D**
These are crazy, crazy, crazy, crazy   nights.

Chorus 3

      B♭   **F**   **Gm** **E♭**   **F**   **E♭** **F**
These are crazy, crazy, crazy, crazy nights.

      B♭   **F**   **Gm** **E♭**   **F**   **E♭** **F**
These are crazy, crazy, crazy, crazy nights.

Guitar solo ‖: **G** **Dsus4** | **Em7** **Cadd9** | **D** | **D**   :‖

Verse 3

      Cadd9   **Dsus4**
And they try to tell us that we don't belong,

      Am7   **Em7**   **Dsus4**
But that's all right, we're millions strong.

Am7   **Bm7**
You are my people, you are my crowd,

Cadd9   **D**   **C**
This is our music, we love it loud.

Link | **G** **Gsus4** **G**   **D** | **C** **G/B** **D** |

Spoken   Yeah,

G   **Gsus4**   **G**   **C** **G/B** **D**
   And nobody's gonna change me,

G   **Gsus4**   **G**   **C** **G/B**
   'Cause that's who I am.

Chorus 4

   C   **D** **G**   **D**   **Em** **Cadd9** **D**   **C** **D**
‖: These are crazy, crazy, crazy, crazy   nights.

       G   **D**   **Em** **Cadd9** **D**   **C** **D**
These are crazy, crazy, crazy, crazy nights.   :‖

Chorus 5

          B♭   **F**   **Gm** **E♭**   **F**   **E♭** **F**
‖: These are crazy, crazy, crazy, crazy nights.

      B♭   **F**   **Gm** **E♭**   **F**   **E♭** **F**
These are crazy, crazy, crazy, crazy nights.   :‖ *Repeat to fade*

Crystalised

Words by Oliver Sim & Romy Madley Croft
Music by Romy Madley Croft, Oliver Sim, Baria Qureshi & Jamie Smith

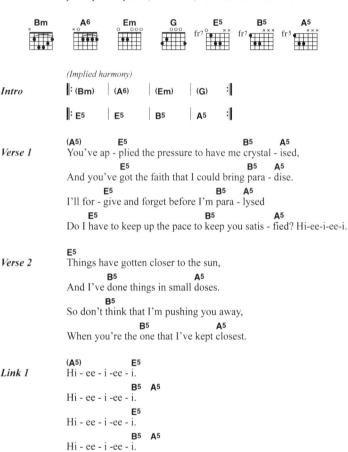

| Bm | A6 | Em | G | E5 | B5 | A5 |

(Implied harmony)

Intro ‖: (Bm) | (A6) | (Em) | (G) :‖

‖: E5 | E5 | B5 | A5 :‖

Verse 1
(A5)   E5   B5   A5
You've ap - plied the pressure to have me crystal - ised,
                E5   B5   A5
And you've got the faith that I could bring para - dise.
        E5   B5   A5
I'll for - give and forget before I'm para - lysed
        E5   B5   A5
Do I have to keep up the pace to keep you satis - fied? Hi-ee-i-ee-i.

Verse 2
E5
Things have gotten closer to the sun,
        B5   A5
And I've done things in small doses.

        B5
So don't think that I'm pushing you away,
              B5   A5
When you're the one that I've kept closest.

Link 1
(A5)   E5
Hi - ee - i -ee - i.
             B5 A5
Hi - ee - i -ee - i.
             E5
Hi - ee - i -ee - i.
             B5 A5
Hi - ee - i -ee - i.

Verse 3

(**A**5)   (**E**5)
You don't move slow
          (**B**5)   (**A**5)
And taking steps in my di - rection.
         E5
The sound re - sounds echo,
     B5   **A**5
Does it lessen your af - fection? No.
     E5   **B**5   **A**5
You say I'm foolish for pushing this aside,
E5   **B**5   **A**5
Burn down our home, I won't leave a - live.

Hi-ee-i-ee-i.

Verse 4

E5
Glaciers have melted to the sea,
        B5   **A**5
I wish the tide would take me over.
B5
I've been down on my knees,
        B5   **A**5
And you just keep on getting closer.

Link 2

(**A**5)   **E**5
Hi - ee - i -ee -i.
        B5   **A**5
Hi - ee - i -ee -i.
        E5
Hi - ee - i -ee -i.
        B5   **A**5
Hi - ee - i -ee -i.

Verse 5	**N.C.** Glaciers have melted to the sea,
	I wish the tide would take me over.
	I've been down on my knees,
	And you just keep on getting closer.
Verse 5(a) *(Sung with* *Verse 5)*	(Things have gotten closer to the sun, And I've done things in small doses.
	So don't think that I'm pushing you away,
	When you're the one that I've kept closest.)

Outro

    E5
Go slow,
    B5   **A5**
Go slow, who - a.
    E5
Go slow,
    B5   **A5**
Go slow, who - a.
    (E5)
Go slow.

Dakota

Words & Music by Kelly Jones

| E | C#m | Amaj7 | A | B | G#m |

Intro ‖: E | C#m | Amaj7 | E :‖

Verse 1

    E   C#m
Thinking back, thinking of you,

                    Amaj7
Summertime, think it was June,

              E
Yeah, think it was June.

                     C#m
Laying back, head on the grass,

                     Amaj7
Chewing gum, having some laughs,

              E
Yeah, having some laughs.

Chorus 1

   A
You made me feel like the one,

                   E
You made me feel like the one, the one.

   A
You made me feel like the one,

                   E
You made me feel like the one, the one.

Verse 2

     E   **C♯m**
Drinking back, drinking for two,

            Amaj⁷
Drinking with you,

                   E
When drinking was new.

                      C♯m
Sleeping in the back of my car,

           Amaj⁷
We never went far,

               E
Didn't need to go far.

Chorus 2

   A
  You made me feel like the one,

                      E
You made me feel like the one, the one.

   A
  You made me feel like the one,

                      E
You made me feel like the one, the one.

Bridge 1

B **E**   **B**   **A**
  I don't know where we are going now.

B **E**   **B**   **A**
  I don't know where we are going now.

Verse 3

E   **C♯m**
Wake up call, coffee and juice,

             Amaj⁷
Remembering you,

           E
What happened to you?

                  C♯m
I wonder if we'll meet a - gain?

               Amaj⁷
Talk about life since then,

             E
Talk about why did it end.

Chorus 3

    A

    You made me feel like the one,

                E

You made me feel like the one, the one.

    A

    You made me feel like the one,

                E

You made me feel like the one, the one.

Bridge 2

B E   **B**   **A**

I don't know where we are going now.

B E   **B**   **A**

I don't know where we are going now.

Outro

   A   **E**

‖: So take a look at me now.

            B

So take a look at me now.

            A

So take a look at me now.

So take a look at me now. :‖

   A   **E**

‖: So take a look at me now.

            G♯m

So take a look at me now.

            A

So take a look at me now.

So take a look at me now. :‖

            E

So take a look at me now.

The Day We Caught The Train

Words & Music by Steve Cradock, Simon Fowler, Oscar Harrison & Damon Minchella

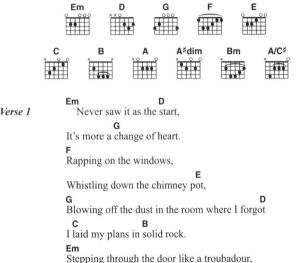

Verse 1

        Em   **D**
Never saw it as the start,

            G
It's more a change of heart.

F
Rapping on the windows,

                    E
Whistling down the chimney pot,

G   **D**
Blowing off the dust in the room where I forgot

 C   **B**
I laid my plans in solid rock.

Em
Stepping through the door like a troubadour,

              A
Whiling just an hour away,

Em
Looking at the trees on the roadside,

        A
Feeling it's a holiday.

Pre-chorus 1

          D   **A♯dim**
You and I should ride the coast

         Bm   **A/C♯**   **Em**
And wind up in our fav'rite coats just miles away.

G
   Roll a number,

                   A
Write another song like Jimmy heard

               D
The day he caught the train.

Chorus 1

```
       D     A          G
       Oh __ la la, __
          Em        D
       Oh __ la la, __
          A         G
       Oh __ la la, __
          Em
       Oh __ la.
```

Verse 2

```
       Em                          D
       He sipped another rum and coke
                  G
       And told a dirty joke.
       F
       Walking like Groucho,
                            E
       Sucking on a Number Ten.
       G                                      D
       Rolling on the floor with the cigarette burns walked in.
            C                B
       I'll miss the crush and I'm home again.
       Em
       Stepping through the door with the night in store,
                        A
       Whiling just an hour away,
       Em
       Step into the sky in the star bright
                      A
       Feeling it's a brighter day.
```

Pre-chorus 2

```
       D                 A♯dim
       You and I should ride the coast
           Bm         A/C♯         Em
       And wind up in our fav'rite coats just miles away.
       G
          Roll a number,
                       A
       Write another song like Jimmy heard
                          D
       The day he caught the train.
```

Chorus 2

```
       D     A          G
       Oh __ la la, __
          Em        D
       Oh __ la la, __
          A         G
       Oh __ la la, __
          Em
       Oh __ la.
```

Middle 1

A
You and I should ride the tracks

D
And find ourselves just wading through tomorrow.

A
And you and I when we're coming down,

D
We're only getting back and you know I feel no sorrow.

Instrumental | D | A | G | Em |
                  | D | A | G | Em   ‖

Chorus 3

D   A   G
Oh,   la la,

Em   D
Oh,   la la,

A   G
Oh,   la la,

Em
Oh,   la.

Middle 2

‖: **D**   **A**
    When you find that things are getting wild,

G   **Em**
But don't you want days like these?

D   **A**
    When you find that things are getting wild,

G   **Em**
But don't you want days like these?   :‖

Chorus 4

‖: **D   A   G**
   Oh,   la la,

Em   D
Oh,   la la,

A   G
Oh,   la la,

Em
Oh,   la.   :‖   *Repeat to fade*

Dog Days Are Over

Words & Music by Florence Welch & Isabella Summers

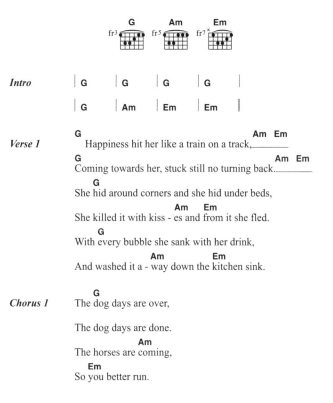

Intro

| G | G | G | G |

| G | Am | Em | Em |

Verse 1

G
   Happiness hit her like a train on a track,⎯⎯⎯   **Am** **Em**
G   **Am** **Em**
Coming towards her, stuck still no turning back.⎯⎯⎯

     G
She hid around corners and she hid under beds,

              Am   **Em**
She killed it with kiss - es and from it she fled.

         G
With every bubble she sank with her drink,

         Am   **Em**
And washed it a - way down the kitchen sink.

Chorus 1

     G
The dog days are over,

The dog days are done.

        Am
The horses are coming,

  Em
So you better run.

Verse 2
      G
Run fast for your mother, run fast for your father,

Run for your children, for your sisters and brothers.
              Am
Leave all your loving, your loving behind,
      Em
You can't carry it with you if you want to survive.

Chorus 2
      G
The dog days are over,

The dog days are done.
             Am
Can you hear the hor - ses?
      Em   **G**
'Cause here they come.

Verse 3
G   **Am**   **Em**
And I never wanted anything from you,
       G   **Am**   **Em**
Except everything you had and what was left after that too, oh.
G   **Am Em**
   Happiness hit her like a bullet in the head,_____
G
   Struck from a great height,
                     Am   **Em**
By someone who should know bet - ter than   that.

Chorus 3   As Chorus 2

Verse 4   As Verse 2

Chorus 4
      G
The dog days are over,

The dog days are done.
            Am
Can you hear the hors - es?
      Em
'Cause here they come.

	G
Chorus 5	The dog days are over,
	Em
	The dog days are done.
	G
	The horses are coming,
	Am **Em**
	So you better run.

	G
Chorus 6	The dog days are over,
	Am **Em**
	The dog days are done.
	G
	The horses are coming,
	Am **Em G**
	So you better run._____

Don't Dream It's Over

Words & Music by Neil Finn

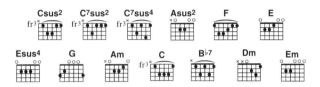

Capo third fret

Intro ‖: **Csus2** | **C7sus2** | **C7sus4** :‖

Verse 1
      Csus2   **Asus2**
    There is freedom within,
                      F
There is freedom without,
                            E   **Esus4**
Try to catch the deluge in a paper cup.
Csus2   **Asus2**
    There's a battle ahead,
                   F
Many battles are lost,

But you'll never see the end of the road,
            Esus4   **E**
While you're travelling with me.

Chorus 1
      F   **G**
    Hey now, hey now,
            Csus2   **Am**
Don't dream it's over.
          F   **G**
Hey now, hey now,
           Csus2   **Am**
When the world comes in.
         F   **G**
They come, they come,
Csus2   **Am**
    To build a wall between us,
F   **G**
    We know they won't win.

Verse 2

Csus²   **Asus²**
Now I'm towing my car,

                         F
There's a hole in the roof,

My possessions are causing me suspicion,

      Esus⁴   **E**
But there's no proof.

Csus²   **Asus²**   **F**
In the paper today tales of war and of waste,

                      Esus⁴ **E**
But you turn right over to the T.V. page.

Chorus 2

F   **G**
Hey now, hey now,

      Csus²   **Am**
Don't dream it's over.

    F   **G**
Hey now, hey now,

       Csus²   **Am**
When the world comes in.

      F   **G**
They come, they come,

Csus²   **Am**
To build a wall between us,

F
We know they won't win.

Instrumental ‖: **Csus²** | **Am** | **F** | **Esus⁴ E** :‖

  | **F C** | **F C** | **F C** | **B♭⁷** | **B♭⁷** ‖

Verse 3

Csus²   **Asus²**
Now I'm walking again,

                  F
To the beat of a drum,

And I'm counting the steps,

             Esus⁴ **E**
To the door of your heart.

Csus²   **Asus²**   **F**
Only shadows ahead barely clearing the roof,

                  Esus⁴   **E**
Get to know the feeling of liberation and release.

Chorus 3

   Dm   **Em**
   Hey now, hey now,

     Csus2 **Am**
   Don't dream it's over.

   F   **G**
   Hey now, hey now,

     Csus2   **Am**
   When the world comes in.

    F   **G**
   They come, they come,

   Csus2   **Am**
   To build a wall between us,

   F
   We know they won't win.

Outro   ‖: **F** **G** | **Csus2** **Am** :‖ *Repeat to fade w/ad lib vocals*

Everywhere

Words & Music by Christine McVie

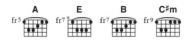

Tune guitar slightly sharp

Intro | A | A | A | A | A | A | A | A ‖

| E B | E B | E B | C♯m   A
          Calling   out your name...
| E B | E B | E B | C♯m   A
          Calling   out your name...

Verse 1

E   B   E   B
Can you hear me calling   out your name?
E   B   C♯m   A
You know that I've fallen in and I don't know what to say.
E   B   E   B
I'll speak a little louder,   I'll even shout,
E   B   C♯m   A
You know that I'm proud and I can't get the words out.

Chorus 1

      B C♯m A B
Oh I,_____
C♯m   B   A   B
  I wanna be with you everywhere,
      B C♯m A B
Oh I,_____
C♯m   B   A
  I wanna be with you everywhere.
               B   E   B
(I wanna be with you everywhere.)

| E B | E B | C♯m A |

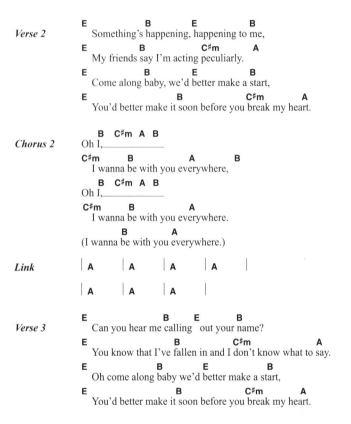

Verse 2

E   B   E   B
Something's happening, happening to me,

E   B   C♯m   A
My friends say I'm acting peculiarly.

E   B   E   B
Come along baby, we'd better make a start,

E   B   C♯m   A
You'd better make it soon before you break my heart.

Chorus 2

   B C♯m A B
Oh I,_____

C♯m   B   A   B
I wanna be with you everywhere,

   B C♯m A B
Oh I,_____

C♯m   B   A
I wanna be with you everywhere.

         B   A
(I wanna be with you everywhere.)

Link

| A | A | A | A |

| A | A | A |

Verse 3

E   B   E   B
Can you hear me calling   out your name?

E   B   C♯m   A
You know that I've fallen in and I don't know what to say.

E   B   E   B
Oh come along baby we'd better make a start,

E   B   C♯m   A
You'd better make it soon before you break my heart.

Chorus 3

      B C♯m A B
Oh I,_____

C♯m   B   A   B
  I wanna be with you everywhere,

      B C♯m A B
Oh I,_____

C♯m   B   A   B
  I wanna be with you everywhere.

      B C♯m A B
Oh I,_____

C♯m   B   A   B
  I wanna be with you everywhere,

      B C♯m A B
Oh I,_____

C♯m   B   A   B
  I wanna be with you everywhere.

Outro   ‖: E | E | E | E   :‖ *Repeat to fade*

73

Drive

Words & Music by Ric Ocasek

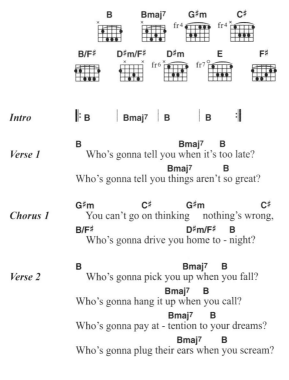

Intro   ‖: B | Bmaj⁷ | B | B   :‖

Verse 1
            B   Bmaj⁷   B
            Who's gonna tell you when it's too late?
                              Bmaj⁷   B
            Who's gonna tell you things aren't so great?

Chorus 1
            G♯m   C♯   G♯m   C♯
            You can't go on thinking   nothing's wrong,
            B/F♯   D♯m/F♯   B
            Who's gonna drive you home to - night?

Verse 2
            B   Bmaj⁷   B
            Who's gonna pick you up when you fall?
                              Bmaj⁷   B
            Who's gonna hang it up when you call?
                              Bmaj⁷   B
            Who's gonna pay at - tention to your dreams?
                              Bmaj⁷   B
            Who's gonna plug their ears when you scream?

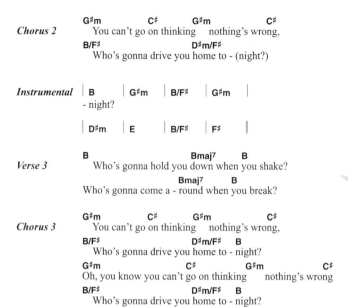

Chorus 2

G#m   C#   G#m   C#
You can't go on thinking   nothing's wrong,

B/F#   D#m/F#
Who's gonna drive you home to - (night?)

Instrumental

| B | G#m | B/F# | G#m |
- night?

| D#m | E | B/F# | F#   ‖

Verse 3

B   Bmaj7   B
Who's gonna hold you down when you shake?

                        Bmaj7   B
Who's gonna come a - round when you break?

Chorus 3

G#m   C#   G#m   C#
You can't go on thinking   nothing's wrong,

B/F#   D#m/F#   B
Who's gonna drive you home to - night?

G#m   C#   G#m   C#
Oh, you know you can't go on thinking   nothing's wrong

B/F#   D#m/F#   B
Who's gonna drive you home to - night?

Dry Your Eyes

Words & Music by Mike Skinner

| A | E/G♯ | F♯m7 | E | D | A/D | F♯m | E/D |

Intro | A | E/G♯ | F♯m7 E | D | A | ‖

Verse 1

    A
In one single moment your whole life can turn 'round

I stand there for a minute starin' straight into the ground,
A/D
Lookin' to the left slightly, then lookin' back down
                    A
World feels like it's caved in – proper sorry frown.

Please let me show you where we could only just be, for us,

I can change and I can grow or we could adjust,
A/D
    The wicked thing about us is we always have trust,
                            A
We can even have an open relationship, if you must.

I look at her she stares almost straight back at me,

But her eyes glaze over like she's lookin' straight through me,
A/D
Then her eyes must have closed for what seems an eternity,
                          A
When they open up she's lookin' down at her feet.

Chorus 1

    A

Dry your eyes mate,

                                  A/D

I know it's hard to take but her mind has been made up,

                       A

There's plenty more fish in the sea.

Dry your eyes mate,

                                A/D

I know you want to make her see how much this pain hurts,

But you've got to walk away now,

   A

It's over.

Verse 2

   A

So then I move my hand up from down by my side,

It's shakin', my life is crashin' before my eyes.

A/D

Turn the palm of my hand up to face the skies,

                     A

Touch the bottom of her chin and let out a sigh.

'Cause I can't imagine my life without you and me,

There's things I can't imagine doin', things I can't imagine seein'.

     A/D

It weren't supposed to be easy, surely,

       A

Please, please, I beg you please.

She brings her hands up towards where my hands rested,

She wraps her fingers round mine with the softness she's blessed with.

     A/D

She peels away my fingers, looks at me and then gestures,

                   A

By pushin' my hand away to my chest, from hers.

Chorus 2   As Chorus 1

Bridge

A   E/G♯   F♯m⁷
And I'm just standin' there, I can't say a word,

E   D
'Cause everythin's just gone,

I've got nothin',

       A
Absolutely nothin'.

Verse 3

A
Tryin' to pull her close out of bare desperation,

Put my arms around her tryin' to change what she's sayin'.
A/D
Pull my head level with hers so she might engage in,

                    A
Look into her eyes to make her listen again.

I'm not gonna fuckin', just fuckin' leave it all now,

'Cause you said it'd be forever and that was your vow.
        A/D
And you're gonna let our things simply crash and fall down,

                A
You're well out of order now, this is well out of town.

She pulls away, my arms are tightly clamped round her waist,

Gently pushes me back and she looks at me straight.
A/D
Turns around so she's now got her back to my face,

                    A
Takes one step forward, looks back,   and then walks away.

Chorus 3   As Chorus 1

Outro

F♯m   A
I know in the past I've found it hard to say,

D   E/D
Tellin' you things, but not tellin' straight,

A   F♯m
But the more I pull on your hand and say,

D   E/D
The more you pull away.

A
Dry your eyes mate,

                                      A/D
I know it's hard to take but her mind has been made up,

                        A
There's plenty more fish in the sea.

A   E/G♯
Dry your eyes mate,

                      F♯m⁷   E   D
I know you want to make her see how much this pain hurts,

                          A
But you've got to walk away now.

Fairytale Of New York

Words & Music by Shane MacGowan & Jem Finer

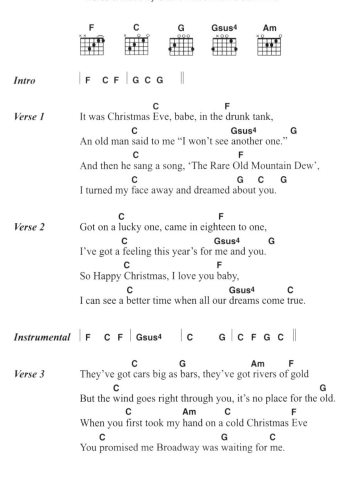

Intro | F   C F | G   C   G ‖

Verse 1
              C   F
It was Christmas Eve, babe, in the drunk tank,
         C   Gsus4   G
An old man said to me "I won't see another one."
         C   F
And then he sang a song, 'The Rare Old Mountain Dew',
         C   G C   G
I turned my face away and dreamed about you.

Verse 2
         C   F
Got on a lucky one, came in eighteen to one,
         C   Gsus4   G
I've got a feeling this year's for me and you.
         C   F
So Happy Christmas, I love you baby,
         C   Gsus4   C
I can see a better time when all our dreams come true.

Instrumental | F   C F | Gsus4 | C   G | C F G C ‖

Verse 3
         C   G   Am   F
They've got cars big as bars, they've got rivers of gold
         C   G
But the wind goes right through you, it's no place for the old.
         C   Am   C   F
When you first took my hand on a cold Christmas Eve
         C   G   C
You promised me Broadway was waiting for me.

Verse 4
      C   G
You were handsome, you were pretty, queen of New York City.
      C   F   G   C
When the band finished playing, they howled out for more.
     C   G
Sinatra was swinging, all the drunks they were singing,
     C   F   G   C
We kissed on a corner then danced through the night.

Chorus 1
       F   Am G   C   Am
And the boys from the NYPD choir were singin' 'Galway Bay',
      C   F   G   C
And the bells were ringin' out for Christmas Day.

Link 1 | C G Am F | C   G | C Am C F | C G C ‖

Verse 5
        C   G
You're a bum, you're a punk, you're an old slut on junk
      C   F   G   C
Lying there almost dead on a drip in that bed.
       C   G
You scumbag, you maggot, you cheap lousy faggot,
      C   F   G   C
Happy Christmas your arse, I pray God it's our last.

Chorus 2   As Chorus 1

Link 2 | C | F | C   F | G C G ‖

Verse 6
        C   F
I could have been someone, well so could anyone.
         C   Gsus4   G
You took my dreams from me when I first found you.
        C   F
I kept them with me, babe, I put them with my own,
         C   F   G C
I can't make it all alone, I've built my dreams around you.

Chorus 3   As Chorus 1

Fireflies

Words & Music by Adam Young

A   D   G   Bm   Asus⁴   F♯m   E   D/F♯

Capo first fret

Intro ‖: A | D | G | G :‖ *Play 4 times*

Verse 1

    A   D   G
You would not be - lieve your eyes   if ten million fireflies

    A   D   G
Lit up the world as I fell a - sleep,

    A   D   G
'Cause they'd fill the open air   and leave teardrops everywhere.

        A   D   G
You'd think me rude, but I would just stand and stare.

Chorus 1

    G   Bm   Asus⁴   G   D F♯m G
I'd like to make myself be - lieve that planet Earth turns slow - ly.

                       D   G   Asus⁴ Bm
It's hard to say that I'd rather stay a - wake when I'm a - sleep,

        G   D   E   D/F♯ (A)
'Cause everything is never as it seems.

Verse 2

    A   D   G
'Cause I'd get a thousand hugs from ten thousand lightning bugs

    A   D   G
As they tried to teach me how to dance

    A   D   G
A foxtrot a - bove my head, a sock hop beneath my bed,

     A   D   G
A disco ball is just hanging by a thread.

Chorus 2

    G   Bm   Asus⁴   G   D F♯m G
I'd like to make myself be - lieve that planet Earth turns slow - ly

                       D   G   Asus⁴ Bm
It's hard to say that I'd rather stay a - wake when I'm a - sleep,

        G   D   Asus⁴   Bm   G
'Cause everything is never as it seems when I fall a - sleep.

Verse 3

A   D   G   A
Leave my door open just a crack, (Please take me away from here)

                  D   G   A
'Cause I feel like such an insomni - ac. (Please take me away from here)

            D   G   A
Why do I tire of counting sheep, (Please take me away from here)

                      D   G
When I'm far too tired to fall a - sleep?

Verse 4

A   D   G
To ten million fireflies   I'm weird 'cause I hate goodbyes,

A   D   G
I got misty eyes as they said farewell.

A   D   G
But I'll know where several are   if my dreams get real bizarre,

          A   D   G
'Cause I saved a few and I keep them in a jar.

Chorus 3

G   Bm   Asus⁴   G   D   F♯m   G
I'd like to make myself be - lieve that planet Earth turns slow - ly.

                        D   G   Asus⁴ Bm
It's hard to say that I'd rather stay a - wake when I'm a - sleep,

          G   D   E   D/F♯   G
'Cause everything is never as it seems when I fall a - sleep.

          Bm   Asus⁴   G   D   F♯m   G
I'd like to make myself be - lieve that planet Earth turns slow - ly.

                        D   G   Asus⁴ Bm
It's hard to say that I'd rather stay a - wake when I'm a - sleep,

          G   D   Asus⁴   Bm   G
'Cause everything is never as it seems when I fall a - sleep.

Outro chorus

G   Bm   Asus⁴   G   D   F♯m   G
I'd like to make myself be - lieve that planet Earth turns slow - ly.

                        D   G   Asus⁴ Bm
It's hard to say that I'd rather stay a - wake when I'm a - sleep,

          G   D   Asus⁴ A
Be - cause my dreams are bursting at the seams.

Forever Autumn

Words by Paul Vigrass & Gary Osborne
Music by Jeff Wayne

Dm   C   Cadd9   B♭   F/A

Gm   F   F/A*   E♭/G   E♭maj7

Intro | Dm | Dm | Dm | Dm ‖

Verse 1

Dm   C   Cadd9
    The Summer sun is fading as the year grows old
B♭   F/A   Gm   F   C   Gm C Gm
    And darker days are drawing near,
B♭   Cadd9
    The Winter winds will be much colder

Chorus 1

                Dm | Dm | Dm | Dm ‖
Now you're not here._____

Verse 2

Dm   C   Cadd9
    I watch the birds fly south across the autumn sky
B♭   F/A   Gm   F   C   Gm C Gm
    And one by one they disap - pear.
B♭   Cadd9
    I wish that I was flying with them

Chorus 2

                Dm | Dm ‖
Now you're not here.

Bridge 1

B♭   F/A*   E♭/G   Dm
    Like a song through the trees you came to love me,
B♭   F/A*   E♭/G   Dm C B♭   Am E♭maj7
    Like a leaf on a breeze you blew a - way.

Link 1 | Dm | Dm | Dm | Dm ‖

Verse 3

Dm   C   Cadd⁹
Through Autumn's golden gown we used to kick our way,

B♭   F/A   Gm   F   C   Gm C Gm
You always loved this time of year.

B♭   Cadd⁹
Those fallen leaves lie un - disturbed now

Chorus 3

               Dm
'Cause you're not here.

               Cadd⁹
'Cause you're not here.

               Dm | Dm |
'Cause you're not here._____

Instrumental | Dm | Dm | C | Cadd⁹ | B♭ F/A | Gm F | C Gm | C Gm ‖

| Dm | Dm | Cadd⁹ | Cadd⁹ ‖

| Dm | Dm | Cadd⁹ C | Cadd⁹ C | Dm | Dm ‖

Bridge 2

B♭   F/A*   E♭/G   Dm
Like the song through the trees you came to love me

B♭   F/A*   E♭/G   Dm C B♭ Am E♭maj⁷
Like a leaf on a breeze you blew a - way.

Link 2 | Dm | Dm | Dm | Dm ‖

Verse 4

Dm   C   Cadd⁹
A gentle rain falls softly on my weary eyes

B♭   F/A Gm   F   C   Gm C Gm
As if to hide a lonely tear.

B♭   Cadd⁹
My life will be forever Autumn.

Outro

               Dm
‖: 'Cause you're not here.

               Cadd⁹
'Cause you're not here.

               Dm | Dm |
'Cause you're not here._____

| B♭ | B♭ | Dm | Dm | Dm | Dm :‖

Repeat to fade

Get On Your Boots

Words by Bono
Music by U2

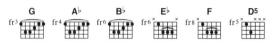

Intro

riff 1

D	C	A	C	A	D		C	A	C	C	A	G	A
5fr	3fr	5fr	3fr	5fr	5fr		3fr	5fr	3fr	3fr	5fr	3fr	5fr
⑤	⑤	⑥	⑤	⑥	⑤		⑤	⑥	⑤	⑤	⑥	⑥	⑥

Play 4 times

Verse 1

riff 1(N.C.)
Future needs a big kiss, winds blow with a twist,

riff 1
Never seen a moon like this, can you see it too?

riff 1
Night is falling everywhere, rockets at the funfair,

riff 1
Satan loves a bomb scare, but he won't scare you.

Chorus 1

riff 1(N.C.)   **riff 1**
Hey, sexy boots,

                riff 1
Get on your boots, yeah.

Verse 2

riff 1(N.C.)
Free me from the dark dream, candy floss, ice cream,

riff 1
All our kids are screaming but the ghosts aren't real.

riff 1
Here's where we gotta be, love and community,

riff 1
Laughter is eternity if joy is real.

Bridge 1

<pre>
      G   A♭   G   A♭
      You don't know how beautiful,
      G   B♭   E♭   F   G
      You don't know how beauti - ful you are.
              A♭   G   A♭
      You don't know, and you don't get it do you?
      G   B♭   E♭   F   riff 1
      You don't know how beauti - ful you are.
</pre>

Link 1   **riff 1***(x2)*

Verse 3   **riff 1(N.C.)**
That's someone's stuff they're blowing up, we're into growing up,
riff 1
Women of the future, hold the big revelations.
riff 1
I've got a submarine, you got gasoline,
riff 1
I don't wanna talk about wars between nations.

Chorus 2   **riff 1**
      Not right now.
            riff 1
      Sexy boots, yeah. (No, no, no.)
                  riff 1
      Get on your boots, yeah. (Not right now.)
              riff 1
      Bossy boots.

Bridge 2

<pre>
      G   A♭   G   A♭
      You don't know how beautiful,
      G   B♭   E♭   F   G
      You don't know how beauti - ful you are.
              A♭   G   A♭
      You don't know, and you don't get it do you?
      G   B♭   E♭   F   riff 1(x2)
      You don't know how beauti - ful you are.
</pre>

Chorus 3

       riff 1
Sexy boots,

I don't wanna talk about wars between nations.

riff 1
Sexy boots, yeah.

Bridge 3

N.C.
Let me in the sound, let me in the sound,

Let me in the sound, sound,

Let me in the sound, sound,

       riff 1
Meet me in the sound.

riff 1
Let me in the sound, let me in the sound now,

      riff 1
God I'm going down, I don't wanna drown now,

       riff 1
Meet me in the sound.

riff 1
Let me in the sound, let me in the sound,

      riff 1
Let me in the sound, sound,

Let me in the sound, sound,

       riff 1 *(x2)*
Meet me in the sound.

Chorus 4

      riff 1
Get on your boots,

      riff 1
Get on your boots,

      riff 1
Get on your boots, yeah, hey, hey.

      riff 1
Get on your boots, yeah, hey, hey.

      riff 1
Get on your boots, yeah, hey, hey.

      D5
Get on your boots, yeah, hey, hey.

Girl From Mars

Words & Music by Tim Wheeler

A   E   Dmaj7   Bm   D

Chorus 1

      A   **E**   **Dmaj7**
Do you remember the time I knew a girl from Mars?

Bm
I don't know if you knew that.

A   **E**
Oh, we'd stay up late playing cards,

                 Dmaj7
Henry Winterman cigars,

      Bm   **D**
And she never told me her name,

    E   **A**
I still love you the girl from Mars.

Verse 1

               D E   **D**   **Bm**
Sitting in a dreamy daze by the water's edge,

D   **E**   **A**
On a cool summer night.

            D E   **D**   **Bm**
Fireflies and stars in the sky, (Gentle glowing light,)

D   **E**   **A**
From your cigarette.

           E   **D** **Bm**
The breeze blowing softly on my face

 D   **E**   **A**
Reminds me of something else.

          E   **D**   **Bm**
Something that in my mem'ry has been misplaced

D   **E**   **Bm**
Suddenly all comes back.

D   **B**   **A**
And as I look to the stars,

Chorus 2

       E   **D**
I remember the time I knew a girl from Mars

   Bm
I don't know if you knew that.

A   **E**
Oh, we'd stay up late playing cards,

       D
Henry Winterman cigars,

   Bm   **D**
And she never told me her name,

  E   **A**
I still love you the girl from Mars.

Verse 2

       D E   **D**   **Bm**
Surging through the darkness (over the moon-lit strand),

  D **E** **A**
Electricity in the air.

     D E   **D**   **Bm**
Twisting all through the night on the terrace

D   **E**   **A**
Now that summer is here.

   D E **D**   **Bm**
I know that you are almost in love with me

  D **E**   **A**
I can see it in your eyes.

     E   **D** **Bm**
Strange lights shimmering under the sea tonight,

   D **E**   **Bm**
And it almost blows my mind.

D   **E**   **A**
And as I look to the stars,

Chorus 3   As Chorus 2

Solo   ‖: A   D │ E   │ D Bm │ Bm   :‖ *Play 4 times*

Verse 3
    A   E   Dmaj7   Bm
Today I sleep in the chair by the window,
    D   E   A
It felt as if you'd returned
           E   Dmaj7 Bm
I thought that you were standing over me,
       D   E   Bm
When I woke there was no-one there.
     D   E   A
I still love you girl   from Mars,

Chorus 4
  (A)   E   D
Do you remember the time I knew a girl from Mars?
        Bm
I don't know if you knew that.
  A   E
Oh, we'd stay up late playing cards,
            D
Henry Winterman cigars,
     Bm   A
And she never told me her name.

Chorus 5
  (A)   E   D
Do you remember the time I knew a girl from Mars?
        Bm
I don't know if you knew that.
  A   E
Oh, we'd stay up late playing cards,
            D
Henry Winterman cigars,
     Bm   D
And I'll still dream of you,
     E   A
I still love you girl from Mars.

A Girl Like You

Words & Music by Edwyn Collins

Cm   Fm   Gm

Intro | Cm | Fm Gm | Cm | Fm Gm |

              | Cm | Fm Gm | Cm | Fm Gm ‖

              Cm   Fm   Gm Cm Fm Cm

Verse 1   I've never known a girl like you be - fore,

              Cm   Fm   Gm Cm Fm Cm

           Now just like in a song from days of yore.

      Cm   Fm   Gm Cm Fm Cm

           Here you come a-knocking, knocking on my door,

                Cm   Fm   Gm Cm Fm Cm

           And I've never met a girl like you be - fore.

Guitar riff 1 | Cm | Fm Gm | Cm | Fm Gm |

                    | Cm | Fm Gm | Cm | Fm Cm ‖

              Cm   Fm   Gm Cm Fm Cm

Verse 2   You give me just a taste so I want more,

              Cm   Fm   Gm Cm Fm Cm

           Now my hands are bleeding and my knees are raw,

                Cm   Fm   Gm Cm Fm Cm

           'Cause now you've got me crawling, crawling on the floor,

                Cm   Fm   Gm Cm Fm Cm

           An' I've never known a girl like you be - fore.

Guitar riff 2	Cm	Fm Gm	Cm	Fm Gm
	Cm	Fm Gm	Cm	Fm Cm ‖

Verse 3

Cm   Fm   Gm
You've made me acknowledge the devil in me,

 Cm   Fm   Gm
I hope to God I'm talking meta - phorical - ly,

 Cm   Fm   Gm
I hope that I'm taking alle - gorical - ly,

Cm   Fm Gm
Know that I'm talking 'bout the way I feel.

     Cm   Fm   Gm Cm Fm Cm
An' I've never known a girl like you be - fore,

Cm   Fm Gm
Never, never, never, never,

Cm   Fm   Cm
Never known a girl like you be - fore.

Guitar solo	Cm	Fm Gm	Cm	Fm Gm
	Cm	Fm Gm	Cm	Fm Cm ‖

Outro

Cm   Fm   Gm
 This old town's changed so much,

Cm   Fm Gm
 Don't feel that I be - long,

Cm   Fm Gm
 Too many protest singers,

Cm   Fm Gm
 Not enough protest songs.

     Cm   Fm Gm
And now you've come along,

   Cm   Fm Gm
Yes you've come along,

     Cm   Fm   Cm
And I've never met a girl like you be - fore.

Guitar outro	‖: Cm	Fm Gm	Cm	Fm Gm
	Cm	Fm Gm	Cm	Fm Gm :‖

Ad lib. to end

Going Underground

Words & Music by Paul Weller

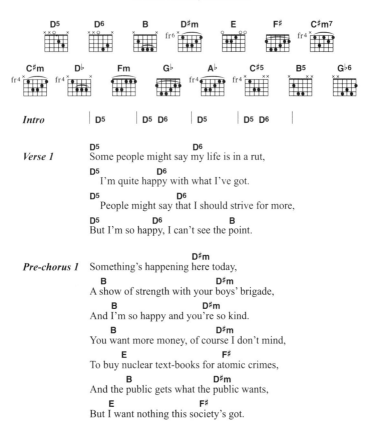

Intro | D5 | D5 D6 | D5 | D5 D6 |

Verse 1
     D5   **D6**
Some people might say my life is in a rut,
     D5   **D6**
   I'm quite happy with what I've got.
     D5   **D6**
    People might say that I should strive for more,
     D5   **D6**   **B**
But I'm so happy, I can't see the point.

Pre-chorus 1
                           D♯m
Something's happening here today,
  B   **D♯m**
A show of strength with your boys' brigade,
    B   **D♯m**
And I'm so happy and you're so kind.
    B   **D♯m**
You want more money, of course I don't mind,
    E   **F♯**
To buy nuclear text-books for atomic crimes,
  B   **D♯m**
And the public gets what the public wants,
    E   **F♯**
But I want nothing this society's got.

	B	**D♯m**
Chorus 1	I'm going underground, (going underground,)	

B   **D♯m**
Chorus 1   I'm going underground, (going underground,)
              E   **F♯**
              Well let the brass band play and feet start to pound.
              B   **D♯m**
              Going underground, (going underground,)
                      E
              Well let the boys all sing,
                      F♯   **B**
              And let the boys all shout for tomorrow.

              | **D♯m**   **E** | **E** | **F♯**   ‖

              D5   **D6**
Verse 2   Some people might get some pleasure out of hate,
              D5   **D6**
              Me, I've enough already on my plate.
              D5   **D6**
                 People might need some tension to relax,
              D5   **D6**   **B**
              Me, I'm too busy dodging 'tween the flak.

              B   **D♯m**
Pre-chorus 2 What you see is what you get,
                      B   **D♯m**
              You made your bed, you better lie in it.
                      B   **D♯m**
              You choose your leaders and place your trust,
                      B   **D♯m**
              Their lies wash you down and their promises rust.
                      E   **F♯**
              You'll see kidney machines replaced by rockets and guns,
                      B   **D♯m**
              And the public wants what the public gets,
                      E   **F♯**
              But I don't care what this society wants.

                      B   **D♯m**
Chorus 2   I'm going underground, (going underground,)
                      E   **F♯**
              Well let the brass band play and feet start to pound.
                      B   **D♯m**
              Going underground, (going underground,)
                      E
              So let the boys all sing,
                      F♯   **C♯m7**
              And let the boys all shout for tomorrow.

Middle
$$\text{B} \qquad \text{C}^\sharp\text{m7} \qquad \text{B}$$
(Ho!) La,   la la la, ho! La, ___ la la la.

C♯**m**   **B**
We talk and we talk until my head explodes,

C♯**m**   **B**
I turn on the news and my body froze.

      D♯**m**   **E**
There's braying sheep on my TV screen,

      F♯
Make this boy shout, make this boy scream.

     D♭   **Fm** | **G**♭ |
Going underground,

A♭   **D**♭   **Fm** | **G**♭ |
   Going underground. ___

A♭   **(B)**   **(D**♯**m)** | **(E)** |
   I'm going underground,

(F♯**)**   **(B)**   **(D**♯**m)** | **(E)** | **(F**♯**)** | **(C**♯**5)** ‖
   I'm going underground. ___

‖:   **B5**   **C**♯**5**
  La, __ la la la, :‖   *Play 3 times*

    B5
La, __ la la la.

     D♯**m**   **E**
The braying sheep on my TV screen,

     F♯
Make this boy shout, make this boy scream!

Chorus 3
     D♭   **Fm**
Going underground, (going underground,)

        G♭   **A**♭
Well let the brass band play and feet start to pound.

     D♭   **Fm**
Going underground, (going underground,)

       G♭
Well let the boys all sing,

       A♭
And let the boys all shout.

Chorus 4
     D♭   **Fm**
Going underground, (going underground,)

       G♭   **A**♭
Well let the brass band play and feet go pow, pow, pow.

     D♭   **Fm**
Going underground, (going underground,)

       G♭
So let the boys all sing,

    A♭   **G**♭**6**
And let the boys all shout for tomorrow, oh.

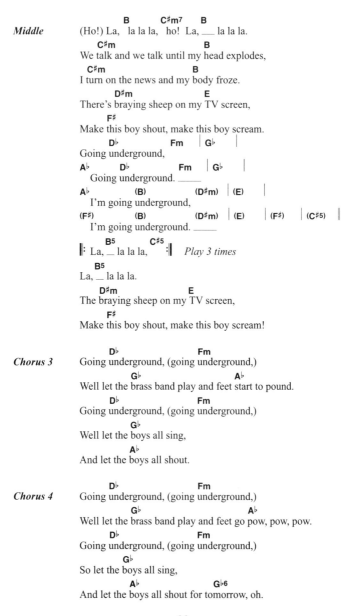

96

I Will Survive

Words & Music by Dino Fekaris & Freddie Perren

Am7　　Dm7　　G　　Cmaj7　　Fmaj7　　Bm7♭5　　E7sus4　　E7

Verse 1

        Am7   **Dm7**
First I was afraid, I was petrified,
                G   **Cmaj7**
Kept thinking I could never live without you by my side.
        Fmaj7
But then I spent so many night
        Bm7♭5
Thinking how you did me wrong
            E7sus4   **E7**
And I grew strong, and I learned how to get along.

Verse 2

             Am7   **Dm7**
And so you're back from outer space,
               G   **Cmaj7**
I just walked in to find you here with that sad look upon your face.
        Fmaj7
I should have changed that stupid lock,
        Bm7♭5
I should have made you leave your key
        E7sus4   **E7**
If I had known for just one second you'd be back to bother me.

Verse 3

             Am7   **Dm7**
Go on now, go! Walk out the door,
             G   **Cmaj7**
Just turn around now 'cause you're not welcome anymore.
Fmaj7   **Bm7♭5**
   Weren't you the one who tried to hurt me with goodbye?
        E7sus4
Do you think I'd crumble?
        E7
Do you think I'd lay down and die?

Chorus 1

       Am⁷   **Dm⁷**
Oh no, not I, I will survive.

    G   **Cmaj⁷**
Oh, as long as I know how to love I know I'll stay alive.

      Fmaj⁷   **Bm⁷♭5**
I've got all my life to live, I've got all my love to give,

      E⁷sus⁴   **E⁷**
And I'll survive, I will survive, (hey!)

Instrumental | **Am⁷** | **Dm⁷** | **G** | **Cmaj⁷** |
hey!

| **Fmaj⁷** | **Bm⁷♭5** | **E⁷sus⁴** | **E⁷** ‖

Verse 4

     Am⁷   **Dm⁷**
It took all the strength I had not to fall apart,

         G   **Cmaj⁷**
Kept trying hard to mend the pieces of my broken heart;

       Fmaj⁷
And I spent oh so many nights

       Bm⁷♭5
Just feeling sorry for myself.

     E⁷sus⁴   **E⁷**
I used to cry, but now I hold my head up high.

Verse 5

         Am⁷   **Dm⁷**
And you see me, somebody new,

         G   **Cmaj⁷**
I'm not that chained-up little person still in love with you.

        Fmaj⁷
And so you felt like dropping in

        Bm⁷♭5
And just expect me to be free?

        E⁷sus⁴   **E⁷**
Now I'm saving all my loving for someone who's loving me.

Verse 6

        Am⁷   **Dm⁷**
Go on now, go! Walk out the door,

        G   **Cmaj⁷**
Just turn around now 'cause you're not welcome anymore.

Fmaj⁷   **Bm⁷♭5**
  Weren't you the one who tried to break me with goodbye?

       E⁷sus⁴
Do you think I'd crumble?

       E⁷
Do you think I'd lay down and die?

Chorus 2

          Am7   **Dm7**
Oh no, not I, I will survive.

     G   **Cmaj7**
Oh, as long as I know how to love I know I'll stay alive.

   Fmaj7   **Bm7♭5**
I've got all my life to live, I've got all my love to give,

        E7sus4   **E7**
And I'll survive, I will survive.

Verse 7

          Am7   **Dm7**
Go on now, go! Walk out the door,

          G   **Cmaj7**
Just turn around now 'cause you're not welcome anymore.

Fmaj7   **Bm7♭5**
  Weren't you the one who tried to break me with goodbye?

        E7sus4
Do you think I'd crumble?

        E7
Do you think I'd lay down and die?

Chorus 3

          Am7   **Dm7**
Oh no, not I, I will survive.

     G   **Cmaj7**
Oh, as long as I know how to love I know I'll stay alive.

   Fmaj7   **Bm7♭5**
I've got all my life to live, I've got all my love to give,

        E7sus4   **E7**
And I'll survive, I will survive, I will sur - (vive.)

Coda

| Am7 | Dm7 | G | Cmaj7 | |
- vive.

| Fmaj7 | Bm7♭5 | E7sus4 | E7 | |

‖: Am7 | Dm7 | G | Cmaj7 | |

| Fmaj7 | Bm7♭5 | E7sus4 | E7 | :‖ *Repeat to fade*

Hoppípolla

Words & Music by Jón Birgisson, Georg Hólm, Kjartan Sveinsson & Orri Dýrason

Intro | (B/D♯) | (F♯sus4/C♯) | (B) | (F♯sus4/C♯) ‖

‖: B/D♯ E | E | B | G♯m7 | F♯ | E :‖

Verse 1
B/D♯   E
Brosandi,

          B
Hendumst í hringi,

          G♯m7
Höldumst í hendur,

          F♯
Allur heimurinn ósk r,

          E
Nema ú stendur.

Verse 2
B/D♯   E
Rennblautur,

          B
Allur rennvotur,

              G♯m7
Engin gúmm - íst'gvél,

          F♯
Hlaupandi   inn í okkur,

          E
Vill springa út úr skel.

Verse 3

B/D#   E

Vindurinn,

B   G#m7

Og útilykt af hárinu ínu,

F#

Eg lamdi eins fast og ég get,

E

Me nefinu mínu.

Bridge

B   F#

Hoppí - polla,

E

I engum stígvélum,

B/D#   B   F#

Allur rennvotur, rennblautur,

E   F#

I engum stígvélum.

Chorus 1

B/D#   E

Og ég fæ blónasir,

B/D# E

En ég stend alltaf upp,

Hopelandic.

‖: B | G#m7 | F# | E   :‖

Chorus 2

B/D#   E

Og ég fæ blónasir,

B/D# E

En ég stend alltaf upp,

Hopelandic.

Outro

‖: B | G#m7 | F# | E   :‖   *Play 4 times*

| B   ‖

101

Hound Dog

Words & Music by Jerry Leiber & Mike Stoller

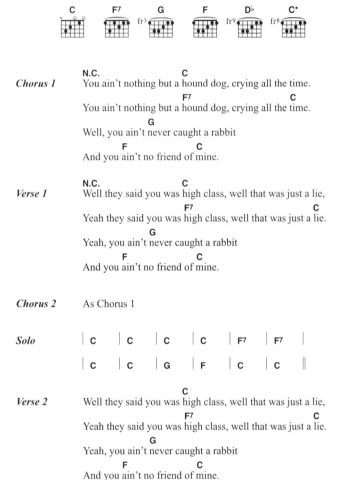

Chorus 1

N.C.   C
You ain't nothing but a hound dog, crying all the time.
            F7   C
You ain't nothing but a hound dog, crying all the time.
        G
Well, you ain't never caught a rabbit
    F   C
And you ain't no friend of mine.

Verse 1

N.C.   C
Well they said you was high class, well that was just a lie,
            F7   C
Yeah they said you was high class, well that was just a lie.
         G
Yeah, you ain't never caught a rabbit
    F   C
And you ain't no friend of mine.

Chorus 2   As Chorus 1

Solo | C | C | C | C | F7 | F7 |

       | C | C | G | F | C | C ||

Verse 2

            C
Well they said you was high class, well that was just a lie,
            F7   C
Yeah they said you was high class, well that was just a lie.
      G
Yeah, you ain't never caught a rabbit
    F   C
And you ain't no friend of mine.

| *Solo* | | C | | C | | C | | C | | F7 | | F7 | |
| | | C | | C | | G | | F | | C | | C | ‖ |

Verse 3

                               C
Well they said you was high class, well that was just a lie,

                                   F7   C
You know they said you was high class, well that was just a lie.

                          G
Yeah, you ain't never caught a rabbit

N.C.   C
You ain't no friend of mine.

Chorus 3

N.C.   C
You ain't nothing but a hound dog, crying all the time.

                                  F7   C
You ain't nothing but a hound dog, crying all the time.

                          G
Well, you ain't never caught a rabbit

                  F   C   D♭ C*
And you ain't no friend of mine.

I Believe In A Thing Called Love

Words by Justin Hawkins
Music by Justin Hawkins, Daniel Hawkins, Ed Graham & Frankie Poullain

F#5   A5   B5   E5   F#m   E   B   F#m11

B♭5/F   B5/F#   C#5   C#5/G#   D5/A   B/F#   Asus2   Bsus4

Intro   ‖: F#5   A5 | B5 | E5   B5 | A5   :‖

Verse 1

    F#m   A5   B   E   B A5
Can't explain   all the feelings that you're making me feel.

    F#m   A5   B   E   B A5
My heart's in overdrive and you're behind the steering wheel.

Pre-chorus 1

    E F#m11   E F#m11
Touching you,   touching me,

    E F#m11   A5   B♭5/F   B
Touching you,   God, you're touching me.

Chorus 1

    E5   A5
I believe in a thing called love,

    F#5   B5/F#   C#5   B5
Just listen to the rhythm of my heart.

    E5   A5
There's a chance we could make it now,

    F#5   B5/F#   C#5   B5
We'll be rocking till the sun goes down.

    E5   A5   F#5 B5/F# C#5 B5
I believe in a thing called love._____

    C#5/G# B5/F# C#5/G# B5/F# C#5/G# D5/A
Ooh,   ooh. Uh!

| *Guitar solo 1* | F#5 | A5 | B | | E5 | B | | A5 | ‖ |

Verse 2

F#m   A5   B   E   B A5
I wanna kiss you eve - ry minute, every hour, every day,
F#m   A5   B   E   B A5
You got me in a spin but everything is a - O. K.

Pre-chorus 2   As Pre-chorus 1

Chorus 2   As Chorus 1

Guitar solo 2 ‖: F#5   A5 | B | E5 B | A5   :‖ *Play 4 times*

Pre-chorus 3

E F#m11   E F#m11
    Touching you,   touching me,
E F#m11   A5   Bb5/F   B/F#
    Touching you,   God, you're touching me. Ah!

Chorus 3

N.C. (E)
I believe in a thing called love,

Just listen to the rhythm of my heart.

There's a chance we could make it now,

We'll be rocking till the sun goes down.

I believe in a thing called love.
C#5/G# B5/F# C#5/G# D/A
Ah!

Guitar solo 3 ‖: E   Asus2 | F#m11 Bsus4 | E   Asus2 | F#m11 Bsus4 :‖

Outro ‖: E5   A5 | F#5 B5/F# C#5 B5 |

        | E5   A5 | F#5 B5/F# C#5 B5 :‖ E   ‖

Ironic

Words by Alanis Morissette
Music by Alanis Morissette & Glen Ballard

Cmaj7   D6/4   D/F#   Gsus2   Em7

D   G   Em   F   C

Capo fourth fret

Intro | Cmaj7 | D6/4 | Cmaj7 | Cmaj7   ‖

Verse 1
          D/F# Gsus2 D/F#   Em7
An old   man   turned ninety-eight,
          D/F#   Gsus2 D/F#   Em7
He won the lottery and   died the next day.
          D/F# Gsus2   D/F#   Em7
It's a black fly in your Chardonnay,
          D/F#   Gsus2   D/F#   Em7
It's a death row pardon two minutes too late
          D/F# Gsus2   D/F# Em7
Isn't it ironic? Don't you think?

Chorus 1
                  D   G   D   Em
It's like rain_____ on your wedding day,
               D   G   D   Em
It's a free ride_____ when you've already paid.
                D   G   D   Em
It's the good advice ____ that you just didn't take,
            F   C   D
And who would've thought, it figures?

Verse 2
          D/F#   Gsus2 D/F#   Em7
Mister Play-It-Safe was afraid to fly,
                D/F# Gsus2   D/F#   Em7
He packed his suit - case and kissed his kids good-bye.
               D/F#   Gsus2 D/F#   Em7
He waited his whole damn life to take that flight

<table>
<tr><td>*cont.*</td><td>

      D/F♯   **Gsus2**
And as the plane crashed down he thought,

      D/F♯   **Em7**
"Well isn't this nice?"

      D/F♯ **Gsus2**   **D/F♯** **Em7**
And isn't it ironic? Don't you think?

</td></tr>
</table>

Chorus 2   As Chorus 1

Bridge

      Cmaj7
Well life has a funny way of sneaking up

D6/4
On you when you think everything's okay and

Cmaj7   **D6/4**
Everything's going right.

      Cmaj7
And life has a funny way of helping you

D6/4
Out when you think everything's going wrong and

Cmaj7
Everything blows up in your face.

Verse 3

      D/F♯ **Gsus2**   **D/F♯**   **Em7**
A traffic jam when you're already late,

      D/F♯   **Gsus2**   **D/F♯**   **Em7**
A no-smoking sign on your cigarette break.

        D/F♯   **Gsus2**
It's like ten thousand spoons

        D/F♯   **Em7**
When all you need is a knife,

      D/F♯   **Gsus2**
It's meeting the man of my dreams

      D/F♯   **Em7**
And then meeting his beautiful wife.

      D/F♯ **Gsus2**   **D/F♯** **Em7**
And isn't it ironic? Don't you think?

      D/F♯ **Gsus2**   **D/F♯**   **Em7**
A little too ironic, and yeah, I really do think.

Chorus 3   As Chorus 1

Outro

Cmaj7 D6/4   **Cmaj7**   **D6/4**
          And you know life has a funny way of sneaking up on you,

Cmaj7   **D6/4**   **Cmaj7**
Life has a funny, funny way of helping you out.

Helping you out.

Israelites

Words & Music by Desmond Dacres & Leslie Kong

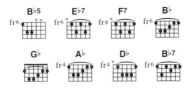

Verse 1

B♭5
Get up in the morning, slaving for bread, sir,

So that every mouth can be fed.

E♭7　F7　　B♭　　　　　　G♭ A♭
Poor＿me, Israelite, sir.＿

Verse 2

B♭
Get up in the morning, slaving for bread, sir,

So that every mouth can be fed.

E♭7　F7　　B♭　　　　D♭
Poor＿ me, Israelite.

Verse 3

B♭
My wife and my kids, they pack up and leave me.

"Darling," she said, "I was yours to be seen."

E♭7　F7　　B♭　　　　D♭
Poor＿ me Israelite.

Verse 4

B♭
Shirt them a - tear up, trousers are gone.

I don't want to end up like Bonnie and Clyde.

E♭7　F7　　B♭　　　　D♭
Poor＿ me Israelite.

Verse 5

B♭
After a storm there must be a calm.

They catch me in the farm, you sound your alarm.
E♭7   F7   B♭   D♭
Poor__ me Israelite. Ooh.__

Link

| B♭ | D♭ | B♭ | E♭7 |

| B♭ | D♭ | B♭ | F7 ‖
                     (I said I)

Verse 6

          B♭
I said I get up in the morning, slaving for bread, sir,

So that every mouth can be fed.
E♭7   F7   B♭   D♭
Poor__ me Israelite, sir.

Verse 7   As Verse 3

Verse 8   As Verse 4

B♭
Verse 9   After a storm there must be a calm.

They catch me in the farm. You sound your alarm.
E♭7   F7   B♭   B♭7
Poor__ me Israelite. Eee.__

            E♭7 F7   B♭
Outro   ‖: Poor__ me Israelite. :‖ *Repeat ad lib.to fade*

It's My Life

Words & Music by Mark Hollis & Tim Friese-Greene

Chord diagrams: E♭7 (fr6), B♭m7 (fr6), A♭ (fr4), E, Am, Dm, G, C, F, Fm7

Intro
‖: E♭7 | E♭7 | B♭m7 | A♭ :‖

Verse 1

E♭7   B♭m7   A♭   E♭7   B♭m7 A♭
　Funny how I＿　find myself in love with you.

E♭7   B♭m7   A♭   E♭7   B♭m7 A♭
　If I could find my＿　reasoning I pay to lose.

　　　　E   Am Dm | G   C |
One half won't do.

　　　　F   Am Dm | G   C |
I've asked myself: how much do you＿

　　　　F
Commit yourself?

Chorus 1

G   Am   Dm G   C   Am   Dm G
It's my life,   don't you forget.

C   Am   Dm G   C   Am   Dm G   C
It's my life,   it never ends.

Link 1
| Fm7 | Fm7 | E♭7 | E♭7 | B♭m7 | A♭ ‖

Verse 2

E♭7   B♭m7   A♭   E♭7   B♭m7 A♭
　Funny how I＿　blind myself, I never knew

E♭7   B♭m7   A♭
　If I was sometimes＿　played upon,

　　E   Am Dm | G   C |
Afraid to lose.

　　　　F   Am Dm | G   C |
I'd tell myself what good you do,＿

　　　　F
Convince myself:

Chorus 2
```
G      Am   Dm  G        C      Am    Dm  G
It's my life,            don't you forget.
C      Am   Dm  G   C    Am    Dm  G   C
It's my life,           it never ends.
```

Instrumental ‖: B♭m7 | B♭m7 | Fm7 | Fm7 :‖

| B♭m7 | B♭m7 | Fm7 | E | Am Dm | G C ‖

Verse 3
```
          F
I've asked myself:
              G      Am  Dm │ G  C │
How much do you___
          F
Commit yourself?
```

Chorus 3
```
G      Am   Dm  G        C      Am    Dm
It's my life,            don't you forget.
G      C    Am    Dm  G   C    Am    Dm  G
  Caught in the crowd,        it never ends.
```

Chorus 4
```
C      Am   Dm  G        C      Am    Dm
It's my life,            don't you forget.
G      C    Am    Dm  G   C    Am
  Caught in the crowd,        it never ends.  *To fade*
```

Jessie's Girl

Words & Music by Rick Springfield

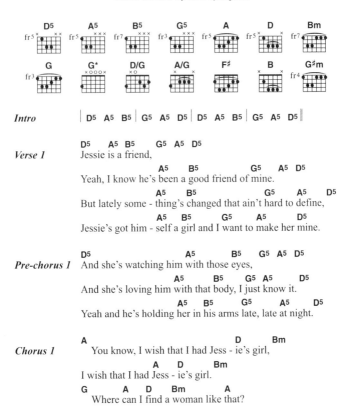

Intro | D5 A5 B5 | G5 A5 D5 | D5 A5 B5 | G5 A5 D5 ‖

Verse 1

D5   A5 B5   G5 A5 D5
Jessie is a friend,

       A5   B5   G5   A5 D5
Yeah, I know he's been a good friend of mine.

            A5   B5   G5   A5   D5
But lately some - thing's changed that ain't hard to define,

         A5   B5   G5   A5   D5
Jessie's got him - self a girl and I want to make her mine.

Pre-chorus 1

D5   A5   B5   G5 A5 D5
And she's watching him with those eyes,

              A5   B5   G5 A5   D5
And she's loving him with that body, I just know it.

           A5   B5   G5   A5   D5
Yeah and he's holding her in his arms late, late at night.

Chorus 1

     A   D   Bm
You know, I wish that I had Jess - ie's girl,

               A   D   Bm
I wish that I had Jess - ie's girl.

G   A   D   Bm   A
Where can I find a woman like that?

Verse 2

N.C.   D5   A5   B5   G5 A5 D5
I play a - long with the cha - rade,

                           A5   B5   G5   A5 D5
There doesn't seem to be a reason to change.

               A5   B5   G5 A5   D5
You know, I feel so dir - ty when they start talking cute,

              A5   B5   G5   A5   D5
I wanna tell her that I love her but the point is prob'ly moot.

Pre-chorus 2

D5   A5   B5 G5 A5 D5
'Cause she's watching him with those eyes,

                      A5   B5   G5 A5   D5
And she's loving him with that body, I just know it.

                     A5   B5   G5   A5   D5
And he's holding her in his arms late, late at night.

Chorus 2

A   D   Bm
  You know, I wish that I had Jess - ie's girl,

            A   D   Bm
I wish that I had Jess - ie's girl.

G   A   D   Bm   A
  Where can I find a woman like that?

           D   Bm
Like Jess - ie's girl,

            A   D   Bm
I wish that I had Jess - ie's girl.

G   A   D   G   A   D
  Where can I find a woman,

G   A   D   Bm   A
  Where can I find a woman like that?

Link 1

| G* D/G | A/G | G* D/G | A/G   ‖

Bridge

G*   D/G   A/G
  And I'm looking in the mirror all the time,

G   D/G   A/G
  Wondering what she don't see in me.

G*   D/G   A/G
  I've been funny, I've been cool with the lines,

G*   D/G   A
  Ain't that the way love's sup - posed to be.

Link 2 ‖: F♯ B | G♯m | F♯ B | G♯m :‖

(G♯m) G A D Bm A
Tell me, where can I find a woman like that?

Guitar solo ‖: D5 A5 B5 | G5 A5 D5 | D5 A5 B5 | G5 A5 D5 :‖

Chorus 3
A   D   Bm
  You know, I wish that I had Jess - ie's girl,
                    A   D   Bm
I wish that I had Jess - ie's girl,
            A   D   Bm
I want Jess - ie's girl.
G   A   D   Bm   A
  Where can I find a woman like that?
              D   Bm
Like Jess -ie's girl,
                    A   D   Bm
I wish that I had Jess - ie's girl,
                    A   D   Bm
I want, I want Jess - ie's girl.

Outro | A D | A D A G | D ‖

Leave Right Now

Words & Music by Francis Eg White

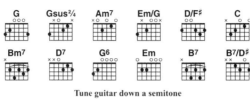

Tune guitar down a semitone

Intro | G | Gsus²⁄₄ | G | G |

| Am⁷ | Em/G | D/F♯ | D/F♯   ‖

Verse 1
              G   Gsus²⁄₄ G
I'm here, just like   I   said,
                    Am⁷   Em/G   D/F♯
Though it's breaking every rule I've ever made.
                    G   Gsus²⁄₄ G
My racing heart is just the same,
                    Am⁷   Em/G   D/F♯
Why make it strong to break it once a - gain?
      C   Bm⁷   C
   And I'd love to say I do, give everything to you,
                          Am⁷   D⁷
But I can never now be true.

Chorus 1
      D⁷
So I say,
      C   D/F♯   Bm   G⁶
   I think I better leave right now before I fall any deeper,
      C   D/F♯   Bm   G⁶
   I think I better leave right now, I'm feeling weaker and weaker.
      C   D/F♯   Bm⁷   G⁶
   Somebody better show me how   before I fall any deeper,
      C   D⁷   G
   I think I better leave right now.

Verse 2

      Gsus²/₄ G   Gsus²/₄   G
I'm   here, so please ex - plain,

          Am⁷   Em/G   D/F♯
Why you're opening up a healing wound a - gain?

          G   Gsus²/₄ G
I'm a little more careful, per - haps it   shows?

        Am⁷   Em/G   D/F♯
But if I lose the highs at least I'll spare the lows.

C   Bm⁷   C
  And I would tremble in your arms, what could be the harm,

             C   D⁷
To feel my spirit come?

Chorus 2

D⁷
So I say,

C   D/F♯   Bm⁷   G⁶
  I think I better leave right now before I fall any deeper,

C   D/F♯   Bm⁷   G⁶
  I think I better leave right now, I'm feeling weaker and weaker.

C   D/F♯   Bm⁷   G⁶
  Somebody better show me how   before I fall any deeper,

C   D⁷   G   (Em)
  I think I better leave right now.

Bridge

Em   Bm⁷
  I wouldn't know how to say   how good it feels seeing you today.

Am⁷   Bm⁷   B⁷
  I see you've got your smile back, like you say you're right on track

Em   Bm⁷
  You may never know why   once bitten, twice is shy.

Am⁷
  If I'm proud perhaps I should explain,

D⁷   B⁷/D♯
  I couldn't bear to lose you again.

Instrumental ‖: C ∣ D/F♯ ∣ Bm7 ∣ G6 :‖

Chorus 3

C   D/F♯ Bm7   G6
I think I better leave right now before I fall any deeper,

C   D/F♯ Bm7   G6
I think I better leave right now, I'm feeling weaker and weaker.

C   D/F♯ Bm7   G6
Somebody better show me how before I fall any deeper,

C   D7   C D/F♯ Bm7 G6
I think I better leave right now._____

   C
Yes I will,

      D/F♯ Bm7   G6
I think I better leave right now, I'm feeling weaker and weaker.

C   D/F♯ Bm7   G6
Somebody better show me how before I fall any deeper,

C   D7   G
I think I better leave right now.

Keep On Running

Words & Music by Jackie Edwards

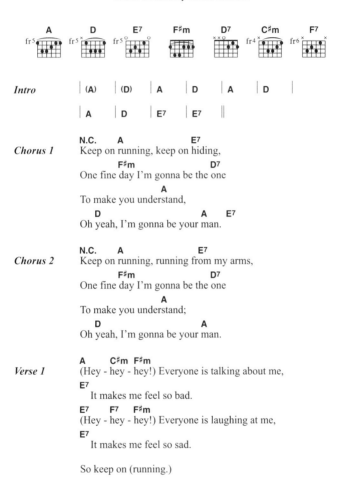

Intro | (A) | (D) | A | D | A | D |

| A | D | E7 | E7 ||

Chorus 1
N.C.   A   E7
Keep on running, keep on hiding,
        F#m   D7
One fine day I'm gonna be the one
                    A
To make you understand,
        D   A   E7
Oh yeah, I'm gonna be your man.

Chorus 2
N.C.   A   E7
Keep on running, running from my arms,
        F#m   D7
One fine day I'm gonna be the one
                    A
To make you understand;
        D   A
Oh yeah, I'm gonna be your man.

Verse 1
A   C#m F#m
(Hey - hey - hey!) Everyone is talking about me,
E7
    It makes me feel so bad.
E7   F7   F#m
(Hey - hey - hey!) Everyone is laughing at me,
E7
    It makes me feel so sad.

So keep on (running.)

Link		(A)		(D)		A		D		A		D	

running.

	A		D		E7		E7		‖

Chorus 3

N.C.   A   E7
Keep on running, running from my arms,

            F♯m   D7
One fine day I'm gonna be the one

                  A
To make you understand,

    D   A
Oh yeah, I'm gonna be your man.

Verse 2

                C♯m F♯m
(Hey - hey - hey!) Everyone is talking about me,

E7
  It makes me feel so sad.

            F7   F♯m
(Hey - hey - hey!) Everyone is laughing at me,

E7
It makes me feel so bad.

Chorus 4

            A   E7
Keep on running, running from my arms,

            F♯m   D7
One fine day I'm gonna be the one

                  A
To make you understand,

    D   (A)   (D)
Oh yeah, I'm gonna be your man.

Coda
With vocal
ad lib.

‖: A		D		A		D		

A		D		A		D		:‖	*Repeat to fade*

Lean On Me

Words & Music by Bill Withers

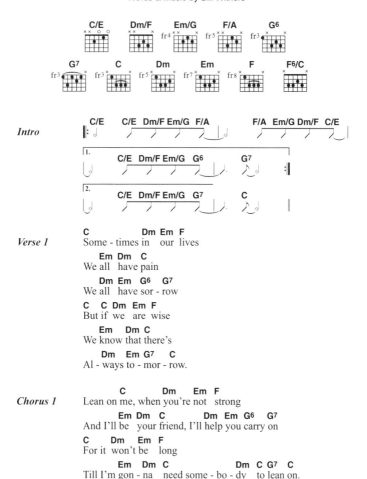

Intro

Verse 1

```
     C           Dm  Em  F
Some - times in   our  lives
        Em  Dm   C
We all   have pain
        Dm  Em  G6   G7
We all   have sor - row
     C   C Dm Em  F
But if we  are  wise
        Em   Dm C
We know that there's
        Dm  Em  G7   C
Al - ways to - mor - row.
```

Chorus 1

```
            C         Dm    Em  F
Lean on me, when you're not   strong
          Em  Dm  C        Dm  Em  G6   G7
And I'll be   your friend, I'll help you carry on
     C    Dm   Em  F
For it  won't be   long
          Em  Dm  C                 Dm  C  G7   C
Till I'm gon - na   need some - bo - dy   to lean on.
```

Verse 2

C   Dm Em F
Please swal - low your pride

    Em Dm C   Dm Em G6   G7
If I   have things you need to   bor - row

C   Dm Em F   Em Dm C
For no one can fill those of   your needs

        Dm Em   G7 C
That you won't let show.

Bridge 1

           C N.C.   (C)
You just call on me brother when you need a hand

        (C)   (G7) (C)
We all need somebody to lean on

        (C)   (C)
I just might have a problem that you'll understand

        (C)   G7 C
We all need somebody to lean on.

Chorus 2   As Chorus 1

Bridge 2   As Bridge 1

Verse 3

C   Dm Em F
If there is a   load

     Em Dm C   Dm Em G6   G7
You have to   bear that you can't car - ry

C   Dm Em F
I'm right up the road

     Em Dm C   Dm Em G7 C
I'll share your load if you just call me.

Outro

   F6/C C   F6/C   C
‖: Call me if you need a friend___

F6/C C   F6/C   C
Call me if you need a friend.___ :‖ *Repeat ad lib. to fade*

A Little Time

Words & Music by Paul Heaton & David Rotheray

F B♭/F Fsus2 B♭ C Gm Fmaj7

Intro | F B♭/F | F B♭/F | F B♭/F ‖

Verse 1
        F   Fsus2   F   B♭/F   F
I need a little time to think it over,
    B♭/F   F   B♭/F   F
I need a little space just on my own.
    Fsus2   F   B♭/F   F
I need a little time to find my freedom.
    B♭/F
I need a little…

Chorus 1
    F
Funny how quick the milk turns sour,
    B♭   C
Isn't it, isn't it?
        F
Your face has been looking like that for hours,
    B♭   C
Hasn't it, hasn't it?
    B♭   C
Promises, promises turn to dust,
    F   Gm
Wedding bells just turn to rust,
    B♭   C
Trust into mistrust.

Verse 2
              F   B♭/F   F
I need a little room to find myself in,
    B♭/F   F   B♭/F   F
I need a little space to work it out,
    B♭/F   F   B♭/F F
I need a little room all alone.
    B♭/F
I need a little…

Chorus 2

       F
You need a little room for your big head,

B♭   **C**
Don't you, don't you?

       F
You need a little space for a thousand beds,

B♭   **C**
Won't you, won't you?

B♭   **C**
Lips that promise, fear the worst,

F   **Gm**
Tongue so sharp, the bubble burst,

B♭   **C**
Just into un - just.

Instrumental | **Fmaj⁷ B♭/F** | **Fmaj⁷ B♭/F** | **Fmaj⁷ B♭/F** | **Fmaj⁷ B♭/F** |

| **Fmaj⁷ B♭/F** | **Fmaj⁷ B♭/F** | **Fmaj⁷ B♭/F** ‖

     Fmaj⁷ B♭/F   **F**   **B♭/F**   **F**
Verse 3   I've had a little time to find the truth.

         B♭/F   **F**   **B♭/F**   **F**
Now I've had a little room to check what's wrong.

      B♭/F   **F**   **B♭/F** **F**
I've had a little time and I still   love you.

      B♭/F
I've had a little…

       F
Chorus 3 You had a little time and you had a little fun,

B♭   **C**
Didn't you, didn't you?

       F
While you had yours do you think I had none,

B♭   **C**
Do you, do you?

        D♭   **C**
The freedom that you wanted bad

    F   **Gm**
Is yours for good, I hope you're glad.

B♭   **C**
Sad into un - sad.

Verse 4

Fmaj7
I had a little time

Fsus2 Fmaj7
To think it___ over.

Fsus2   Fmaj7
Had a little room

Fsus2 Fmaj7
To work it out.

Fsus2   F
I found a little courage

Fsus2 Fmaj7
To call it off.

Outro

Fmaj7
I've had a little time,

I've had a little time,

I've had a little time,

F
I've had a little time.

Lovefool

Words & Music by Peter Svensson & Nina Persson

Intro | Am | Am |

Verse 1
    Am   Dm
Dear, I fear we're facing a problem,
G   C
You love me no longer,
  Cmaj7 Am   Dm   G
I know and maybe there is nothing I can do,
               C   Cmaj7
To make you do.
    Am   Dm
Mama tells me I⎵ shouldn't bother,
G   C   Cmaj7 Am
That I ought to stick to another man,
              Dm
A man that surely deserves me,
G   C   C♯dim
  I think you do.
Dm D♯dim E7
So I cry and I pray and I beg.

Chorus 1
  Amaj7   Dmaj7
Love me, love me,
   Bm7   E13
Say that you love me.
  Amaj7   Dmaj7
Fool me, fool me,
   Bm7   E13
Go on and fool me.

cont.

Amaj7   Dmaj7
Love me, love me,

       Bm7   E13
Pretend that you love me.

Amaj7   Dmaj7
Leave me, leave me.

       Bm7   E13
Just say that you need me.

F♯m   Bm7 E13   Amaj7
  So I cry   and I beg for you to

Amaj7   Dmaj7
Love me, love me,

  Bm7   E13
Say that you love me,

Amaj7   Dmaj7
Leave me, leave me.

       Bm7   E13
Just say that you need me,

A   Dm   Eaug   Am
I can't care about anything but you.

Verse 2

Am   Dm
Lately I have desperately pondered,

G   C
Spent my nights awake and I wonder,

  Cmaj7   Am   Dm   G
What I could have done in another way

          C   Cmaj7
To make you stay.

Am   Dm
Reason will not reach a solution,

G   C   Cmaj7 Am
I will end up lost in confusion,

            Dm
I don't care if you really care

G   C   C♯dim
As long as you don't go,

Dm   D♯dim   E7
So I cry and I pray and I beg.

Chorus 2

Amaj7   Dmaj7
Love me, love me,

  Bm7   E13
Say that you love me.

Amaj7   Dmaj7
Fool me, fool me,

  Bm7   E13
Go on and fool me.

Amaj7   Dmaj7
Love me, love me,

     Bm7   E13
I know that you need me.

Amaj7   Dmaj7
Leave me, leave me.

      Bm7   E13
Just say that you need me.

F#m   Bm7 E13   Amaj7
   So I cry   and I beg for you to

Amaj7   Dmaj7
Love me, love me,

  Bm7   E13
Say that you love me,

Amaj7   Dmaj7
Leave me, leave me.

     Bm7   E13
Just say that you need me,

A   Dm   Eaug   Amaj7   Dmaj7
I don't care about anything but you,

Bm7 A   Amaj7 Dmaj7 │ Bm7 E13 │
Any - thing but you.

Chorus 3

Amaj7   Dmaj7
Love me, love me,

  Bm7   E13
Say that you love me.

Amaj7   Dmaj7
Fool me, fool me,

  Bm7   E13
Go on and fool me.

Amaj7   Dmaj7
Love me, love me,

  Bm7   E13
Pretend that you love me.

A   Dm   Eaug   Am
I can't care about anything but you.

Livin' On A Prayer

Words & Music by Jon Bon Jovi, Richie Sambora & Desmond Child

Verse 1

      Em
Tommy used to work on the docks,

                                               C/E   **D/E**
Union's been on strike, he's down on his luck, it's tough,

      Em
So tough.

Gina works the diner all day,

                                          C/E   **D/E**
Working for her man, she brings home her pay for love,

        Em
For love.

Bridge 1

                        C   **D**   **Em**
She says we've got to hold on to what we've got,

     C   **D**   **Em**
It doesn't make a difference if we make it or not,

          C   **D**   **Em**   **C**
We've got each other and that's a lot for love,

     D
We'll give it a shot.

Chorus 1

Em C   **D**
Oh,   we're half way there,

G **C D**
Oh,   livin' on a prayer,

Em   **C**   **D**
Take my hand, we'll make it I swear,

G **C D**   **Em**
Oh,   livin' on a prayer.

Verse 2

Em
Tommy got his six-string in hock,

                                       C/E   **D/E**
Now he's holding in when he used to make it talk so tough,

  Em
It's tough.

Gina dreams of running away,

                                      C/E   **D/E**
When she cries in the night Tommy whispers "Baby, it's O.K."

        Em
Some day.

Bridge 2   As Bridge 1

Em C   **D**
Chorus 2 Oh, we're half way there,

G C D
Oh,   livin' on a prayer,

Em   **C**   **D**
Take my hand, we'll make it I swear,

G C D
Oh,   livin' on a prayer,

C
Livin' on a prayer.

Guitar solo | **Em C** | **D** | **G C** | **D** |

                   | **Em C** | **D** | **G C** | **Em** |

Em   **C**   **D**   **Em**
We've got to hold on, ready or not,

       C   **D**
You live for the fight when that's all that you've got.

     Gm E♭   **F**
Chorus 3 ‖: Oh, we're half way there,

B♭ E♭   **F**
Oh,   livin' on a prayer.

Gm   **E♭**   **F**
Take my hand, and we'll make it I swear,

B♭ E♭ F
Oh,   livin' on a prayer. :‖ *Repeat to fade*

Love Is All Around

Words & Music by Reg Presley

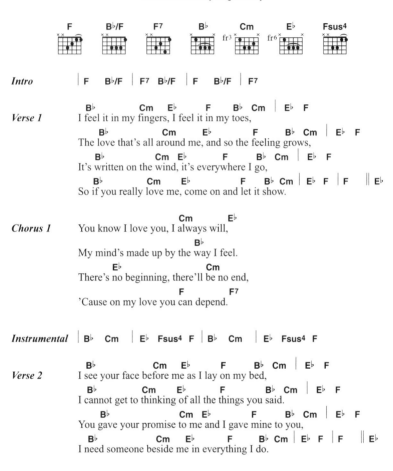

Intro | F B♭/F | F7 B♭/F | F B♭/F | F7

Verse 1

    B♭   Cm   E♭   F   B♭ Cm   E♭   F
I feel it in my fingers, I feel it in my toes,

    B♭   Cm   E♭   F   B♭ Cm | E♭   F
The love that's all around me, and so the feeling grows,

    B♭   Cm E♭   F   B♭ Cm | E♭   F
It's written on the wind, it's everywhere I go,

    B♭   Cm   E♭   F   B♭ Cm | E♭ F | F   ‖ E♭
So if you really love me, come on and let it show.

Chorus 1

                     Cm   E♭
You know I love you, I always will,

                  B♭
My mind's made up by the way I feel.

      E♭   Cm
There's no beginning, there'll be no end,

                   F   F7
'Cause on my love you can depend.

Instrumental | B♭ Cm | E♭ Fsus4 F | B♭ Cm | E♭ Fsus4 F

Verse 2

    B♭   Cm   E♭   F   B♭ Cm | E♭ F
I see your face before me as I lay on my bed,

    B♭   Cm   E♭   F   B♭ Cm | E♭ F
I cannot get to thinking of all the things you said.

    B♭   Cm E♭   F   B♭ Cm | E♭   F
You gave your promise to me and I gave mine to you,

    B♭   Cm   E♭   F   B♭ Cm E♭ F | F ‖ E♭
I need someone beside me in everything I do.

Chorus 2

      (E♭)   Cm   E♭
You know I love you, I always will,

                       B♭
My mind's made up by the way I feel.

          E♭   Cm
There's no beginning, there'll be no end,

                          F   F7 B♭/F │F7 B♭/F │ F
'Cause on my love you can depend.

                  B♭/F   F7
Got to keep it moving.

Verse 3

        B♭   Cm E♭   Fsus4   F B♭ Cm │ E♭ F
It's written in the wind, oh, everywhere I   go,

        B♭   Cm E♭   Fsus4 F   B♭ Cm │ E♭
So if you really love me, come on and let it show,

       F
Come on and let it (show).

  ‖: B♭   Cm
  ‖: Come on and let it,

E♭   Fsus4 F
Come on and let   it,

B♭   Cm E♭   Fsus4 F
Come on and let it show.   :‖   *Repeat to fade*

Love The Way You Lie

Words & Music by Marshall Mathers, Alexander Grant & H. Hafferman

Em   C   G   D/F♯   C(add9)   G/F♯

Capo third fret

Chorus 1

N.C.   Em   C
Just gonna stand there and watch me burn,
                 G   D/F♯
But that's all right because I like the way it hurts.
             Em   C
Just gonna stand there and hear me cry,
                 G   D/F♯
But that's all right because I love the way you lie.
                         Em
I love the way you lie.

Verse 1 (Rap)

N.C.   Em
I can't tell you what it really is,

I can only tell you what it feels like.
C(add9)
   And right now there's a steel knife in my windpipe
G
I can't breathe, but I still fight while I can fight,
G/F♯
As long as the wrong feels right, it's like I'm in flight.
Em
High off of love, drunk from my hate,
                   C(add9)
It's like I'm huffing paint and I love it the more I suffer,

I suffocate.
G   G/F♯
   And right before I'm about to drown, she resuscitates me,

She fucking hates me and I love it.
        Em
Wait,   where you going?

cont.

                     C(add9)
I'm leaving you, no you ain't, come back,

We're running right back.

          G
Here we go   again, it's so insane,

'Cause when it's going good, it's going great,

G/F♯
I'm Superman with the wind at his back, she's Lois Lane.

Em
But when it's bad, it's awful

             C(add9)
I feel so ashamed, I snap

Who's that dude? I don't even know his name.

G
I laid hands on her, I'll never stoop so low again,

G/F♯
I guess I don't know my own strength.

      N.C.   **Em**   **C**

Chorus 2
Just gonna stand there and watch me burn,

             G   **G/F♯**
But that's all right because I like the way it hurts.

             Em   **C(add9)**
Just gonna stand there and hear me cry,

             G   **G/F♯**
But that's all right because I love the way you lie.

                  Em C(add9)
I love the way you lie.

                  Em G/F♯
I love the way you lie.

Verse 2 (Rap)

N.C.   **Em**
You ever love some - body so much, you can barely breathe,

                     C(add9)
When you're with them, you meet and neither one of you

              G
Even know what hit 'em got that warm fuzzy feeling,

Yeah them, chills, used to get 'em,

        G/F♯
Now you're getting fucking sick of looking at 'em.

               Em
You swore you've never hit 'em, never do nothing to hurt 'em,

                C(add9)
Now you're in each other's face, spewing venom

And these words when you spit 'em.

 G
You push, pull each other's hair

              G/F♯
Scratch, claw, bit 'em, throw 'em down, pin 'em,

So lost in the moments when you're in 'em.

          Em
It's the rage that took over, it controls you both,

             C(add9)
So they say it's best to go your separate ways,

                  G
Guess that they don't know ya 'cause to - day

                   G/F♯
That was yesterday, yesterday is over, it's a different day,

Sound like broken records playin' over.

        Em
But you promised her next time you'll show restraint,

            C(add9)
You don't get an - other chance.

                  G
Life is no Nintendo game, but you lied a - gain,

Now you get to watch her leave out the window,

        G/F♯
Guess that's why they call it window pane.

Chorus 3   As Chorus 2

N.C.   **Em**
Verse 3 (Rap) Now I know we said things, did things that we didn't mean,

          C(add9)
And we fall back into the same patterns, same routine.

G
But your temper's just as bad as mine is,

             G/F♯
You're the same as me, when it comes to love you're just as blinded.

           Em
Baby please come back, it wasn't you, baby it was me,

         C(add9)
Maybe our relationship isn't as crazy as it seems.

         G
Maybe that's what happens when a tornado meets a volcano,

G/F♯
All I know is I love you too much to walk away though.

Em
Come inside, pick up your bags off the sidewalk,

C(add9)
Don't you hear sincerity in my voice when I talk.

G
Told you this is my fault, look me in the eyeball,

G/F♯
Next time I'm pissed I'll aim my fist at the dry wall

Em
Next time, there will be no next time.

           C(add9)
I apolo - gize even though I know it's lies,

                 G
I'm tired of the games, I just want her back, I know I'm a liar

          G/F♯
If she ever tries to fucking leave again,

I'm-a tie her to the bed and set this house on fire.

Chorus 4   As Chorus 2

Lucille

Words & Music by Albert Collins & Richard Penniman

C   F   G   C♯   C*

Tune guitar slightly sharp

Intro
C	C	C	C
F	F	C	C
G	F	C	G

Verse 1

        C
Hey, Lu - cille, you won't do your sister's will,

      F   C
Oh, Lu - cille, you won't do your sister's will,

  G   F   C G
You ran up and left, I love you still.

Verse 2

      C
Lu - cille, please come back where you be - long,

      F   C
Oh, Lu - cille, please come back where you be - long,

  G   F   C G
I been good to you, baby, p - lease, don't leave me a - lone.

Bridge 1

C(N.C.)   C(N.C.)
I woke up this morning, Lu - cille was not in sight,

C(N.C.)
I asked her friends about her but all their lips were tight.

      F   C
Lu - cille, please come back where you be - long,

  G   F   C   G
I been good to you, baby, p - lease don't leave me a - lone. Woah!

Saxophone	C	C	C	C	
solo					
	F	F	C	C	
	G	F	C	G	‖

Bridge 2

C(N.C.)   **C(N.C.)**
I woke up this morning, Lu - cille was not in sight,

C(N.C.)
I asked my friends about her but all their lips were tight.

     F   **C**
Lu - cille, please come back where you be - long,

G   **F**   **C**
I been good to you, baby, p - lease don't leave me a - lone.

Verse 3

     C
Lu - cille, baby, satisfy my heart,

     F   **C**
Lu - cille, baby, satisfy my heart.

G   **F**   **C**
I played fun with you, baby, and gave you such a wonderful start.

Outro   ‖ C♯ C* ‖

Manic Monday

Words & Music by Prince

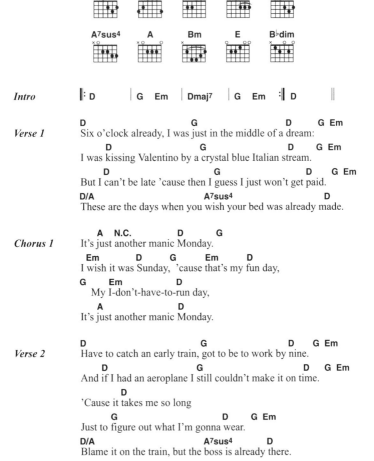

Intro ‖: D | G Em | Dmaj7 | G Em :‖ D ‖

Verse 1

D   G   D   G Em
Six o'clock already, I was just in the middle of a dream:

D   G   D   G Em
I was kissing Valentino by a crystal blue Italian stream.

D   G   D   G Em
But I can't be late 'cause then I guess I just won't get paid.

D/A   A7sus4   D
These are the days when you wish your bed was already made.

Chorus 1

       A   N.C.   D   G
It's just another manic Monday.

   Em   D   G   Em   D
I wish it was Sunday, 'cause that's my fun day,

G   Em   D
   My I-don't-have-to-run day,

       A   D
It's just another manic Monday.

Verse 2

D   G   D   G Em
Have to catch an early train, got to be to work by nine.

D   G   D   G Em
And if I had an aeroplane I still couldn't make it on time.

            D
'Cause it takes me so long

       G   D   G Em
Just to figure out what I'm gonna wear.

D/A   A7sus4   D
Blame it on the train, but the boss is already there.

	A N.C. D G

Chorus 2

        A   **N.C.**   **D**   **G**
It's just another manic Monday.

   Em   **D**   **G**   **Em**   **D**
I wish it was Sunday, 'cause that's my fun day,

G   **Em**   **D**
   My I-don't-have-to-run day,

        A   **D**
It's just another manic Monday.

Bridge

       Bm   **E**
Of all my nights why did my lover have to pick last night

To get down?

G   **A**
Doesn't it matter that I have to feed the both of us?

   Bm
Employment's down.

   G   **E**
He tells me in his bedroom voice,

       A7sus4   **A**
"C'mon honey, let's go make some noise."

(B♭dim)   **(A7sus4)**
Time it goes so fast   when you're having fun.

Chorus 3

      (A) **N.C.**   **D**   **G**
It's just another manic Monday.

   Em   **D**   **G**   **Em**   **D**
I wish it was Sunday 'cause that's my fun day,

G   **Em**   **D**
   My I-don't-have-to-run day.

    G   **A**   **D**   **G**
It's just another manic Monday.

   Em   **D**   **G**   **Em**   **D**
I wish it was Sunday 'cause that's my fun day.

    G   **A**   **D**
It's just another manic Monday.

Midnight Train To Georgia

Words & Music by Jim Weatherly

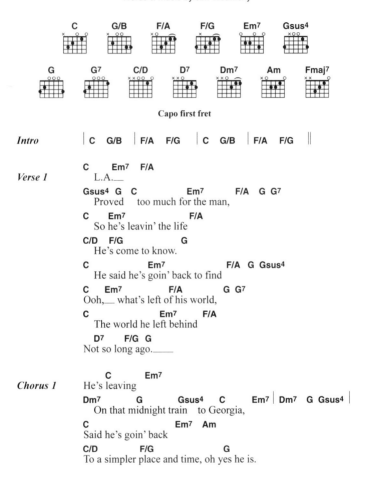

Capo first fret

Intro | C G/B | F/A F/G | C G/B | F/A F/G ||

Verse 1

C   Em7 F/A
L.A.__

Gsus4 G C   Em7   F/A G G7
Proved   too much for the man,

C   Em7   F/A
So he's leavin' the life

C/D F/G   G
He's come to know.

C   Em7   F/A G Gsus4
He said he's goin' back to find

C   Em7   F/A   G G7
Ooh,__ what's left of his world,

C   Em7   F/A
The world he left behind

D7   F/G G
Not so long ago.____

Chorus 1

         C   Em7
He's leaving

Dm7   G   Gsus4 C   Em7 | Dm7 G Gsus4 |
On that midnight train to Georgia,

C   Em7 Am
Said he's goin' back

C/D   F/G   G
To a simpler place and time, oh yes he is.

cont.

        C   **Em7**
And I'll be with him

Dm7   **F/G**   **G**   **Am**   **D7**
On that midnight train to Georgia,

Fmaj7
I'd rather live in his world

F/G   **G**   **C**   **G/B** | **F/A** **F/G** ‖
Than live without him in mine.

Verse 2

C   **Em7**   **F/A**
  He kept dreamin'

  Gsus4 **G**   **C**   **Em7** **F/A** **G** **G7**
Ooh,   that someday he'd be a star.

C   **Em7**
But he sure found out the hard way

F/A   **C/D**   **F/G**   **G**
That dreams don't always come true.

     C   **Em7** **F/A**
So he pawned all his hopes

Gsus4   **G7** **C**   **Em7**   **F/A**   **Gsus4**
And he ev - en sold his old car,

G7   **C**   **Em7**
Bought a one way ticket back

F/A   **C/D** **F/G**
To the life he once knew,

Oh yes he did,

              G
He said he would.

Chorus 2

‖: **C**   **Em7**
   He's leavin'

Dm7   **Gsus4** **G** **C**   **Em7** | **Dm7** **G** |
On that midnight train to Georgia,

C   **Em7**
Said he's goin' back to find

Am   **C/D**   **F/G**   **G**
Ooh, a simpler place and time.

       C   **Em7**
And I'm gonna be with him

Dm7   **F/G** **G** **Am**   **D7**
On that mid - night train to Georgia,

Fmaj7
I'd rather live in his world

F/G   **C**   **G/B**
Than live without him in mine.

| **F/A**   **F/G**   :‖   *Repeat to fade with vocal ad lib.*

Mmm Mmm Mmm Mmm

Words & Music by Brad Roberts

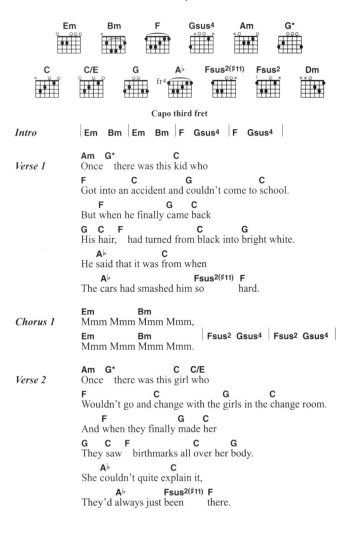

Capo third fret

Intro | Em Bm | Em Bm | F Gsus4 | F Gsus4 |

Verse 1
<pre>
Am   G*   C
Once   there was this kid who
F   C   G   C
Got into an accident and couldn't come to school.
        F   G   C
But when he finally came back
G C   F   C   G
His hair,   had turned from black into bright white.
        A♭   C
He said that it was from when
        A♭   Fsus2(♯11) F
The cars had smashed him so   hard.
</pre>

Chorus 1
<pre>
Em   Bm
Mmm Mmm Mmm Mmm,
Em   Bm | Fsus2 Gsus4 | Fsus2 Gsus4 |
Mmm Mmm Mmm Mmm.
</pre>

Verse 2
<pre>
Am   G*   C   C/E
Once   there was this girl who
F   C   G   C
Wouldn't go and change with the girls in the change room.
        F   G   C
And when they finally made her
G C   F   C   G
They saw   birthmarks all over her body.
        A♭   C
She couldn't quite explain it,
        A♭   Fsus2(♯11) F
They'd always just been   there.
</pre>

Chorus 2

| Em | Bm |
Mmm Mmm Mmm Mmm,

| Em | Bm | | Fsus² Gsus⁴ | Fsus² Gsus⁴ :|
Mmm Mmm Mmm Mmm.

Middle

Dm   C G
But both girl and boy were glad

Dm   C   G   Fsus²
'Cause one kid had it worse than that.

Verse 3

              Am G*   C
'Cause then   there was this boy whose

F   C   G   C
Parents made him come directly home right after school.

              F   G   C
Well, and when they went to their church

G   C   F   C   G
They shook   and lurched all over the church floor.

        A♭   C
He couldn't quite explain it,

        A♭   Fsus²(♯11) F
They'd always just gone   there.

Chorus 3   As Chorus 2

Outro

Dm   C   G
Aah, aah, aah, aah.

Dm   C   G
Aah, aah, aah, aah.

| Fsus² | C | |

Dm   C   G
Aah, aah, aah, aah.

Dm   C   G
Aah, aah, aah, aah.

| Fsus² | C/E | |: Dm | C G | Dm | C G | Fsus² | C :|

Repeat to fade

Mr. Brightside

Words & Music by Brandon Flowers, Dave Keuning,
Mark Stoermer & Ronnie Vannucci

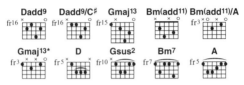

Tune guitar down a semitone

Intro | Dadd⁹ | Dadd⁹/C♯ | Gmaj¹³ | Gmaj¹³ ‖

Verse 1

Dadd⁹   Dadd⁹/C♯   Gmaj¹³
Coming out of my cage and I've been doing just fine,

                          Dadd⁹
Gotta, gotta be down, because I want it all.

           Dadd⁹/C♯   Gmaj¹³
It started out with a kiss, how did it end up like this?

It was only a kiss, it was only a kiss.

Verse 2

Dadd⁹   Dadd⁹/C♯   Gmaj¹³
Now I'm falling a - sleep and she's calling a cab,

                         Dadd⁹
While he's having a smoke and she's taking a drag.

          Dadd⁹/C♯   Gmaj¹³
Now they're going to bed and my stomach is sick,

                          Bm(add¹¹)
And it's all in my head, but she's touching his chest, now.

           Bm(add¹¹)/A
He takes off her dress, now.

        Gmaj¹³*
Let me go.

Pre-chorus 1

Bm(add¹¹)   Bm(add¹¹)/A
And I just can't look, it's killing me,

     Gmaj¹³*
And taking control.

144

Chorus 1

D   Gsus2   Bm7
Jealousy, turning saints in - to the sea,

A   D
Swimming through sick lullabies,

Gsus2   Bm7
Choking on your alibis.

A   D
But it's just the price I pay,

Gsus2   Bm7
Destiny is calling me,

A   D   Gsus2
Open up my eager eyes,____

Bm7   A
'Cause I'm Mr. Brightside.

Link 1   ‖: D | Gsus2 | Bm7 | A   :‖

Verse 3   As Verse 1

Verse 4   As Verse 2

Pre-chorus 2   As Pre-chorus 1

Chorus 2   As Chorus 1

Link 2   ‖: D | Gsus2 | Bm7 | A   :‖

Outro   ‖: D | Gsus2 | Bm7 | A   :‖ *Play 4 times*
           I never._____

My Sharona

Words & Music by Douglas Fieger & Berton Averre

G5   C   B♭   E♭   F   D   G

Intro | *Drums for 4 bars* | (G5) | (G5) | (G5) | C   B♭ |

| G5 | G5 | G5 | C   B♭ ||

Verse 1
G5
Ooh my little pretty one, pretty one,
                               C   B♭
When you gonna give me some time, Sharona?
G5
  Ooh, you make my motor run, my motor run,
                       C   B♭
Gun it coming off of the line, Sharona?

Pre-chorus 1
G5
Never gonna stop, give it up, such a dirty mind,
B♭
I always get it up for the touch of the younger kind.
C   E♭   F
My my, my my my, wooh!

Chorus 1
G5   C B♭
  M-m-m-my Sharona.

Verse 2
G5
Come a little closer, huh, ah will ya, huh?
                        C   B♭
Close enough to look in my eyes, Sharona.
G5
Keeping it a mystery, it gets to me,
                          C   B♭
Running down the length of my thigh, Sharona.

Pre-chorus 2   As Pre-chorus 1

Chorus 2   **G⁵**
M-m-m-my Sharona, m-m-m-my Sharona.

Guitar solo 1 ‖: C | E♭ F | G⁵ | G⁵ :‖ *Play 3 times*

              | C | E♭ F | D | D ‖

Link 1 ‖: G⁵ | G⁵ | G⁵ | C B♭ :‖

Verse 3   **G⁵**
When you gonna give to me, give to me;
                        C   **B♭**
Is it just a matter of time, Sharona?
G⁵
Is it d-d-destiny, d-destiny,
                        C   **B♭**
Or is it just a game in my mind, Sharona?

Pre-chorus 3 As Pre-chorus 1

Chorus 3   **G⁵**   **C**   **E♭**   **F**
M-m-m-m-m-m-m, my-my-my-my-my wooh!

Chorus 4   **G⁵**
M-m-m-my Sharona, m-m-m-my Sharona.

M-m-m-my Sharona, m-m-m-my Sharona.

Link 2 | C | C | C | C ‖

Guitar solo 2 ‖: C G | F   G | C G | F   G :‖ *Play 5 times*

              | C G | F   G | D | D | N.C. ‖

Link 3 ‖: G⁵ | G⁵ | G⁵ | G⁵ :‖

Coda ‖: **G⁵**   **C**   **B♭**
Oh _____ my Sharona! :‖ *Play 3 times*

National Express

Words & Music by Neil Hannon

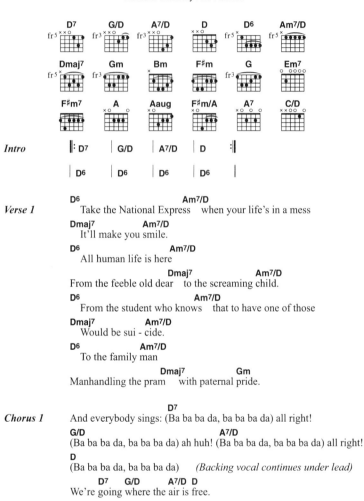

Intro ‖: D7 | G/D | A7/D | D :‖

| D6 | D6 | D6 | D6 ‖

Verse 1

D6   Am7/D
   Take the National Express   when your life's in a mess

Dmaj7   Am7/D
   It'll make you smile.

D6   Am7/D
   All human life is here

                      Dmaj7   Am7/D
From the feeble old dear   to the screaming child.

D6   Am7/D
   From the student who knows   that to have one of those

Dmaj7   Am7/D
   Would be sui - cide.

D6   Am7/D
   To the family man

                    Dmaj7   Gm
Manhandling the pram   with paternal pride.

Chorus 1

                          D7
   And everybody sings: (Ba ba ba da, ba ba ba da) all right!

G/D   A7/D
(Ba ba ba da, ba ba ba da) ah huh! (Ba ba ba da, ba ba ba da) all right!

D
(Ba ba ba da, ba ba ba da)   *(Backing vocal continues under lead)*

      D7   G/D   A7/D D
We're going where the air is free.

Verse 2

    D6   **Am7/D**   **Dmaj7**
On the National Ex - press there's a jolly hos - tess

               Am7/D
Selling crisps and tea.

D6   **Am7/D**
She'll provide you with drinks   and theatrical winks

Dmaj7   **Am7/D**
For a sky-high fee.

D6   **Am7/D**
Mini-skirts were in style   when she danced down the aisle

Dmaj7   **Am7/D**
Back in '63.   (yeah, yeah, yeah, yeah)

D6   **Am7/D**
But it's hard to get by   when your arse is the size

Dmaj7   **Gm**
Of a small coun - try.

                      D7

Chorus 2   And everybody sings: (ba ba ba da, ba ba ba da) yeah!

G/D   **A7/D**
(Ba ba ba da, ba ba ba da) ah huh! (Ba ba ba da, ba ba ba da) all right!

D
(Ba ba ba da, ba ba ba da).

     D7   **G/D**   **A7/D**   **Bm** **F♯m**
We're going where the air is free_____ (To - mor -...)

   G   **F♯m**   **Em7 F♯m7 G**   **A**
To - morrow be - longs to me (... - row be - longs to me)

       A

Bridge   When you're sad and feeling blue

Aaug
With nothing better to do

F♯m/A
Don't just sit there feeling stressed

A7
Take a trip on the National Express!

Instrumental ‖: **D** | **D** | **C/D** | **C/D** :‖ *Play 7 times*

Outro   **D**
‖: National Express...

C/D
National Express...

D
National Express...

C/D
National Express... :‖ *Play 16 times*

149

No One Knows

Words & Music by Josh Homme, Nick Oliveri & Mark Lanegan

⑥ = C   ③ = E♭
⑤ = F   ② = G
④ = B♭ ① = C

Intro		Em/B		Em/B		Em		Em		Em		
		Em		Em		Em		Em		Em		

Verse 1

    Em
      We get some rules to follow

That and this,

             B
These and those
E♭ | **Em** | **Em** | **Em** |**Em** |
   No one knows.

Verse 2

    Em
      We get these pills to swallow

                     B
How they stick in your throat
E♭ | **Em** | **Em** | **Em** |
   Tastes like gold.
Em   **B**
   Oh what you do to me
E♭   **Em**
   No one knows.

Chorus 1

      N.C.   **B5**
I realise you're mine
      N.C.   **B5**
Indeed a fool of mine
      N.C.   **B5**
I realise you're mine
      N.C.   **B5**
Indeed a fool am I, ah._____

Link | **Em** | **Em** | **Em** | **Em** |

Verse 3

  Em
   I journey through the desert
                      B
Of the mind with no hope
E♭   **Em**
  I follow.

Verse 4

  Em
   I drift along the ocean
                  B
Dead lifeboats in the sun
E♭   **Em**
   And come undone.
          B
Pleasantly caving in
E♭   **Em**
  I come undone.

Chorus 2

      N.C.   **B5**
I realise you're mine
      N.C.   **B5**
Indeed a fool of mine
      N.C.   **B5**
I realise you're mine
      N.C.   **B5**
Indeed a fool am I, ah._____

Interlude ‖: **E5** | **E5** | **E5** | **B5 C5 E♭5 B5 A5 B5** :‖

             ‖: **B5 C5 E♭5 B5 A5 B5** :‖ *Play 3 times*

Bass solo | N.C. (E5) | (E5) | (E5) | (E5) |

Guitar solo | Em* | Em* | A5 | B5 | Em* | F♯7/E |

                 | Em/G | Edim | Em* | F♯7/E | D5 | E♭5 |

Bass | Em* (bass) | Em* (bass) | Em* (bass) | Em* (bass) |

Verse 5

    Em* (bass)
      Heaven smiles above me
    Em   **B**
      What a gift here below
    E♭   **Em**
      But no one knows.
             B
    Gift that you give to me
    E♭   **Em**
      No one knows.

Outro | Em | Em | Em ‖

Rawhide

Words by Ned Washington
Music by Dimitri Tiomkin

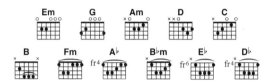

Intro

Em
(Rollin', rollin', rollin'.

Rollin', rollin', rollin'.

Rollin', rollin', rollin'.

Rollin', rollin', rollin').

Rawhide!_____

Hah!

Hah!

Verse 1

        Em
Keep rollin', rollin', rollin',

Though the streams are swollen,

G
Keep them dogies rollin', rawhide.

      Em
Through rain and wind and weather,

D   **Em**
Hell bent for leather,

D   **C**   **B**
Wishin' my gal was by my side.

cont.

Em
All the things I'm missin',

    Am   **Em**
Good vittles, love, and kissin',

    Am   **Em**   **D** **Em**
Are waiting at the end of my ride.

Chorus 1

           Em
Move 'em out, head 'em up,

        B
Head 'em up, move 'em on.

           Em
Move 'em out, head 'em up:

   B
Raw - hide.

         Em
Cut 'em out, ride 'em in,

      B
Ride 'em in, let 'em out,

      Em   **Am**
Cut 'em out, ride 'em in,

     Em
Raw - hide!

Fm
Hah!

Hah!

Verse 2

      Fm
Keep movin', movin', movin',

Though they're disapprovin',

A♭
Keep them dogies movin', rawhide.

      Fm
Don't try to understand 'em,

    B♭m   **Fm**
Just rope an' throw an' brand 'em.

E♭   **D♭**   **C**
Soon we'll be living high and wide.

Fm
My heart's calculatin',

    E♭   **Fm**
My true love will be waitin',

   B♭m   **E♭**   **Fm**
Be waitin' at the end of my ride.

Chorus 2

     Fm
Move 'em out, head 'em up,

     C
Head 'em up, move 'em on.

     Fm
Move 'em out, head 'em up:

   C
Raw - hide.

     Fm
Cut 'em out, ride 'em in,

   C
Ride 'em in, let 'em out,

     Fm   **C**
Cut 'em out, ride 'em in,

     Fm
Raw - hide!

     (Rollin', rollin', rollin'.)

Outro

Fm
(Rollin', rollin', rollin'.)

Hah!
(Rollin', rollin', rollin'.)

Hah!
(Rollin', rollin', rollin'.)

Raw - hide._____

Hah!

Fm(N.C.)
     Rawhide!

Nothing Compares 2 U

Words & Music by Prince

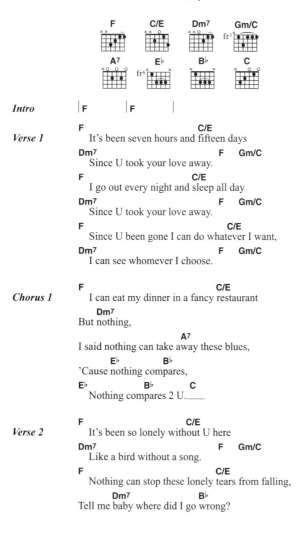

Intro | F | F |

Verse 1

F   C/E
   It's been seven hours and fifteen days

Dm7   F   Gm/C
   Since U took your love away.

F   C/E
   I go out every night and sleep all day

Dm7   F   Gm/C
   Since U took your love away.

F   C/E
   Since U been gone I can do whatever I want,

Dm7   F   Gm/C
   I can see whomever I choose.

Chorus 1

F   C/E
   I can eat my dinner in a fancy restaurant

   Dm7
But nothing,

               A7
I said nothing can take away these blues,

     E♭   B♭
'Cause nothing compares,

E♭   B♭   C
   Nothing compares 2 U.___

Verse 2

F   C/E
   It's been so lonely without U here

Dm7   F   Gm/C
   Like a bird without a song.

F   C/E
   Nothing can stop these lonely tears from falling,

   Dm7   B♭
Tell me baby where did I go wrong?

	F
cont.	I could put my arms
	C/E
	Around every boy I see
	Dm⁷ **F** **Gm/C**
	But they'd only remind me of U.

| | **F**   **C/E** |
| *Chorus 2* | I went 2 the doctor guess what he told me |

Guess what he told me?

            Dm⁷
He said "Girl U better try 2 have fun

            A⁷
No matter what U do."

But he's a fool

      E♭   **B♭**
'Cause nothing compares

Dm⁷   **C**
  Nothing compares 2 U.

Instrumental **‖: F** | **C/E** | **Dm⁷** | **F** **Gm/C :‖**

	F
Verse 3	All the flowers that U planted, mama
	C/E
	In the back yard,
	Dm⁷ **F** **Gm/C**
	All died when U went away.

	F **C/E**
Chorus 3	I know that living with U, baby, was sometimes hard
	Dm⁷ **A⁷**
	But I'm willing 2 give it another try.

      E♭   **B♭**
‖: Nothing compares,

Dm⁷   **C**
  Nothing compares 2 U. **:‖** *Play 3 times*

Outro **‖: E♭** **B♭** | **Dm⁷** **C** | **C** **:‖**   *Repeat to fade*

Oliver's Army

Words & Music by Elvis Costello

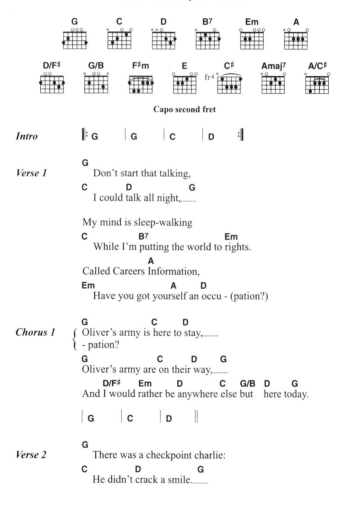

Capo second fret

Intro ‖: G | G | C | D :‖

Verse 1

G
 Don't start that talking,
C   D   G
 I could talk all night,___

My mind is sleep-walking
C   B7   Em
 While I'm putting the world to rights.
              A
Called Careers Information,
Em   A   D
 Have you got yourself an occu - (pation?)

Chorus 1 {
G   C   D
Oliver's army is here to stay,___
- pation?
G   C   D   G
Oliver's army are on their way,___
        D/F♯   Em   D   C   G/B D   G
And I would rather be anywhere else but   here today.

| G | C | D ‖

Verse 2

G
 There was a checkpoint charlie:
C   D   G
 He didn't crack a smile.___

cont.

But it's no laughing party
```
C              B7        Em
```
  When you've been on the murder mile.
```
        A
```
Only takes one itchy trigger:
```
Em                  A        D
```
One more widow, one less white nigger.

Chorus 2
```
G              C      D
```
Oliver's army is here to stay,____
```
G              C      D      G
```
Oliver's army are on their way,____
```
     D/F♯    Em     D        C    G/B  D      G
```
And I would rather be anywhere else but   here today.

| G | C | D | ||

Bridge
```
F♯m              E           D            C♯
```
  Hong Kong is up for grabs,   London is full of Arabs.
```
B7               E          D              E
```
  We could be in Palestine, over-run by the Chinese line
```
        D                          E
```
With the boys from the Mersey and the Thames and the Tyne.

Verse 3
```
A
```
  But there's no danger,
```
D        E        A
```
  It's a professional career;
```
                        D            C♯           F♯m
```
Though it could be arranged with just a word in Mr Churchill's ear.
```
        B7          F♯m
```
If you're out of luck or out of work
```
            B7   E      A      D  E
```
We could send you to Johannesburg.

Chorus 3
```
A            D      E
```
Oliver's army is here to stay,
```
A            D      E      A
```
Oliver's army are on their way, ____
```
     Amaj7  F♯m    E       D    A/C♯  E      A
```
And I would rather be anywhere else but   here today.

Coda
```
     Amaj7  F♯m    E       D    A/C♯  E      A
```
‖: And I would rather be anywhere else but   here today. :‖
```
        D      E          A
```
‖: Oh-oh-oh-oh-oh, oh-oh-oh-oh-oh. :‖ *Repeat to fade*

One Way

Words & Music by Jonathan Sevink, Charles Heather,
Simon Friend, Jeremy Cunningham & Mark Chadwick

Bm   D   E5   A   G   G*   F

Chorus 1
             Bm D   E5   A   G
There's only one way of life, and that's your own,

             D   A
Your own, your own.

Instrumental 1 ‖: D | D | F | G* :‖

Verse 1
             D
My father, when I was younger, took me up onto the hill
              F   G*
That looked down on the city smog above the factory spill.
              D
He said, "Now this is where I come when I want to be free."
          F   G*
Well he never was in his lifetime, but these words stuck with me. Hey!

Instrumental 2 As Instrumental 1

Verse 2
             D
And so I ran from all of this, and climbed the highest hill,
             F   G*
And I looked down onto my life above the factory spill,
             D
And I looked down onto my life as the family disgrace,
          F   G*
Then all my friends on the starting line their wages off to chase,
          F   G*
Yes, and all my friends and all their jobs and all the bloody waste.

Chorus 2
             Bm D   E5   A   G
There's only one way of life, and that's your own,

             D   A
Your own, your own,

             Bm D   E5   A   G
There's only one way of life, and that's your own,

             D   A
Your own, your own.

Instrumental 3 As Instrumental 1   *Play 6 times*

                                D
Verse 3   Well, well, well I grew up, learned to love and laugh,

                    Circled as on the underpass,
                    F
                    But the noise we thought would never stop,
                    G*
                    Died a death as the punks grew up.
                      D
                    And we choked on our dreams, we wrestled with our fears,
                    F
                    We're running through the heartless concrete streets,
                    G*
                    Chasing our ideas. Run!

Instrumental 4 As Instrumental 1

                             D
Verse 4   And all the problems of this world won't be solved by this guitar
                    F   **G***
                    And they won't stop coming either, by the life I've had so far.
                    D
                    And the bright lights of my home town

                    Won't be getting any dimmer,
                    F   **G***
                    Though their calling has receded like some old distant singer,
                    F   **G***
                    And they don't look so appealing to the eyes of this poor sinner.

Chorus 3   As Chorus 2

Chorus 4   As Chorus 2

                        Bm
                    That's your own.

Run

Words & Music by Gary Lightbody, Jonathan Quinn,
Mark McClelland, Nathan Connolly & Iain Archer

Am   F/A   G5   Gsus4   C   G   F

Intro   ‖: Am F/A │ G5 Gsus4 G5 │ Am F/A │ G5 Gsus4 G5 :‖

Verse 1
            Am   F/A G5   Gsus4   G5
I'll sing it one last time for   you

               Am   F/A G5   Gsus4   G5
Then we really have to   go

                   Am   F/A   G5 Gsus4   G5
You've been the only thing that's right

            Am   F/A G5   Gsus4   G5
In all I've   done.

Verse 2
             Am   F/A   G5   Gsus4   G5
And I can barely look at you

               Am   F/A G5   Gsus4   G5
But every single time I   do

                Am   F/A   G5 Gsus4   G5
I know we'll make it an - y - where

              Am   F/A G5   Gsus4   G5
Away from   here.

Chorus 1
   C
    Light up, light up

   G
As if you have a choice

                Am
Even if you cannot hear my voice

                  F   │F
I'll be right beside you dear

   C
    Louder, louder

            G
And we'll run for our lives

               Am
I can hardly speak I understand

                     F   │F
Why you can't raise your voice to say.

Link | Am F/A | G⁵ Gsus⁴ G⁵ | Am F/A | G⁵ Gsus⁴ G⁵ ‖

Verse 3

                Am   F/A   G⁵   Gsus⁴ G⁵
To think I might not see those eyes

                Am   F/A   G⁵ Gsus⁴ G⁵
It makes it so hard not to   cry

                  Am   F/A   G⁵ Gsus⁴ G⁵
And as we say our long good - byes

                    Am   F/A G⁵   Gsus⁴   G⁵
I nearly do.

Chorus 2   As Chorus 1

Chorus 3

C
  Slower, slower

           G
We don't have time for that

                 Am
All I want is to find an easier way

              F
To get out of our little heads.

C
  Have heart my dear

          G
We're bound to be afraid

              Am
Even if it's just for a few days

                  F | F |
Making up for all this mess.

Solo   ‖: C | C | G | G | Am | Am | F | F :‖

Outro

C
  Light up, light up

          G
As if you have a choice

                Am
Even if you cannot hear my voice

              G   F | F | C ‖
I'll be right beside you dear.

Rip It Up

Words & Music by Edwyn Collins

C   D   D6   Am7   G   Cmaj7
fr8   fr10   fr10   fr5   fr3   fr7

Intro | C | D   ‖

             ‖: C | D D6 | C | D D6   :‖

Verse 1   C   D   D6
             When I first saw you something stir - red within me,
                       C   D   D6
             You were standing sultry in the rain.
                       C   D   D6
             If I could've held you I   would've held you,
             C   D   D6
             Rip it up and start a - gain.

Chorus 1   C   D   D6
             Rip it up and start a - gain,
             C   D   D6
             Rip it up and start a - gain.
                 Am7   G
             I hope to God you're not as dumb as you make out,
                 Am7   G
             I hope to God, I hope to God.
                        Am7   G
             And I hope to God I'm not as numb as you make out,
                 Am7   G
             I hope to God, I hope to God.

Link | C | D D6 | C | D D6   ‖

Verse 2

        C   D D6

And when I next saw you my heart reached out for you,

           C   D D6

But my arms stuck like glue to my sides.

      C   D D6

If I could've held you I   would've held you,

         C   D D6

But I'd choke rather than swallow my pride.

Chorus 2

C   D D6

Rip it up and start a - gain,

C   D   D6

Rip it up and start a - gain.

 Am7   G

I hope to God you're not as dumb as you make out,

 Am7   G

I hope to God, I hope to God.

     Am7   G

And I hope to God I'm not as numb as you make out,

 Am7

I hope to God, I hope to God.

Bridge

 (G)   Cmaj7

And there was times I'd take my pen

           D

And feel o - bliged to start again.

          Cmaj7

I do pro - fess that there are things in life

     D

That one can't quite express.

Cmaj7   D

   You know me I'm acting   dumb-dumb,

Cmaj7

   You know this scene is very   humdrum

Cmaj7   D   (Cmaj7)

   And my favourite song's entitled 'Bore - dom'.

Instrumental 1 ‖: Cmaj7 | D | Cmaj7 | D   :‖ *Play 4 times*

Chorus 3

Cmaj7   D D6
Rip it up and start a - gain,

              Cmaj7   D D6
I said rip it up and start a - gain.

              Cmaj7   D D6
I said rip it up and start a - gain.

              Cmaj7   D D6
I said rip it up and start a - gain.

              Cmaj7   D
I said rip it up and rip it up, rip it up and rip it up,

Cmaj7   D D6
Rip it up and start a - gain.

                   Cmaj7   D D6
Ooh, ooh, ooh, ooh.

Instrumental 2 ‖: C | D | C | D   :‖

                  | C | D D6 | C | D D6 ‖

Chorus 4

C   D D6
Rip it up,

C   D D6
Rip it up,

C   D D6
Rip it up,

C   D D6
Rip it up and start a - gain.

                  C   D D6
Ooh, ooh, ooh, ooh.

Outro

C   D D6
Rip it up,

C   D D6
Rip it up,

C   D D6
Rip it up,

C   D D6
Rip it up.

                  | C | D D6 ‖ *Fade out*

She Said

Words & Music by Benjamin Ballance-Drew,
Eric Appapoulay, Richard Cassell & Tom Goss

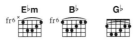

Intro | E♭m | E♭m | E♭m | E♭m ‖

Verse 1

E♭m
She said, "I love you boy, I love you so."

                                                B♭
She said, "I love you baby oh, oh, oh, oh,   oh."

E♭m
    She said, "I love you more than words can say."

                                           B♭
She said, "I love you bay - ay - ay - ay - by."

Link 1 | E♭m | E♭m | E♭m | E♭m ‖

Verse 2

E♭m
    So I said, "What you sayin' girl, it can't be right,

B♭
    How can you be in love with me?

We only just met tonight."

E♭m
    So she said, "Boy, I loved you from the start,

B♭
    When I first heard 'Love Goes Down',

Something started burning in my heart."

G♭   B♭
    I said, "Stop this crazy talk,

G♭   B♭
    And leave right now and close the door."

cont.

$E^\flat m$

She said, "But I love you boy, I love you so."

                                                  $B^\flat$

She said, "I love you baby oh, oh, oh, oh, oh."

$E^\flat m$

    She said, "I love you more than words can say."

                                              $B^\flat$

    She said, "I love you bay - ay - ay - ay - ay - by."

Yes she did.

Rap

$E^\flat m$

    So now I'm up in the courts

Pleading my case from the witness box,

Telling the judge and the jury

The same thing that I said to the cops.

$B^\flat$

    On the day that I got arrested

"I'm innocent." I protested,

She just feels rejected,

Had her heart broken by someone she's obsessed with.

$E^\flat m$

    'Cause she likes the sound of my music,

Which makes her a fan of my music.

'S'why 'Love Goes Down' makes her lose it,

'Cause she can't seperate the man from the music.

$B^\flat$

    And I'm saying all this in the stand,

While my girl cries tears from the gallery.

This has got bigger than I ever could have planned,

Like that song by The Zutons, 'Valerie'.

$G^\flat$

    'Cept the jury don't look like they're buying it,

This is making me nervous.

cont.

B♭
Arms crossed, screwed faced like I'm trying it,

Their eyes fixed on me like I'm murderous,
G♭
They wanna lock me up

And throw away the key.
B♭
They wanna send me down,

Even though I told them she...

Link 2 | **E**♭**m** | **E**♭**m** | **E**♭**m** | **E**♭**m** ‖

E♭**m**
Verse 3 She said, "I love you boy, I love you so."

                                           B♭
She said, "I love you baby oh, oh, oh, oh,   oh."

Yes she did.
E♭**m**
She said, "I love you more than words can say."

                             B♭
She said, "I love you bay - ay - ay - ay - ay - by."

                                             E♭**m**
So I said, "Then why the hell you gotta treat me this way?

You don't know what love is,

                            B♭
You wouldn't do this if you   did."

                 E♭**m**
No, no, no, no, oh.

She's The One

Words & Music by Karl Wallinger

A   Dmaj7   Bm   E7   A7   D   E7sus4   F#m

Capo first fret

Intro
| A | Dmaj7 | A | Dmaj7 ||

Verse 1
(Dmaj7) A   Dmaj7   A   Dmaj7
I was   her, she was me,   we were one, we were free.
                Bm   E7   A   Dmaj7
And if there's some - body calling me on, she's the one.
         Bm   E7   A   Dmaj7
If there's some - body calling me on, she's the one.

Verse 2
Dmaj7   A   Dmaj7   A   Dmaj7
We were young, we were wrong, we were fine all a - long.
         Bm   E7   A   A7
If there's some - body calling me on, she's the one.

Bridge 1
D
    When you get to where you wanna go

                                          A   A7
And you know the things you wanna know, you're   smil - ing.
D
    When you said what you wanna say

And you know the way you wanna play,
Bm   E7sus4   E7
   You'll be so high you'll be fly   -   ing.

Verse 3

  (E7)   A   Dmaj7   A   Dmaj7
Though the sea will be strong, I know we'll carry on.

                         Bm   E7   A   Dmaj7
'Cause if there's some - body calling me on, she's the one.

                   Bm   E7   A   A7
If there's some - body calling me on, she's the one.

Bridge 2

  D
   When you get to where you wanna go

                                  A   A7
And you know the things you wanna know, you're   smil - ing
  D
   When you said what you wanna say

And you know the way you wanna say it,
Bm   E7sus4 E7
  You'll be so high you'll be fly - ing.

Verse 4

  (E7)   A   Dmaj7   A   Dmaj7
I was her, she was me,   we were one, we were free.

                       Bm   E7   A   Dmaj7
And if there's some - body calling me on, she's the one.

                   Bm   E7   A   A7
If there's some - body calling me on, she's the one.

Outro

  A7   Bm   E7   F#m
If there's some - body calling me on, she's the one.

                  D
Yeah, she's the one.

                 Bm   E7   F#m
If there's some - body calling me on, she's the one,

                D
She's the one.

                 Bm   E7   F#m
If there's some - body calling me on, she's the one,

                D
She's the one.

                 Bm   E7   A   Dmaj7 A Dmaj7
If there's some - body calling me on, she's the one.

              A
She's the one.

Should I Stay Or Should I Go

Words & Music by Joe Strummer & Mick Jones

| | D | G | F | A | A⁷ |

Intro | D G | D N.C. | D G | D N.C. | D G | D | D G ‖

Verse 1
D N.C.   D   G   D
  Darling you got to let me know:
N.C.   D   G   D
Should I stay or should I go?
N.C.   G   F   G
If you say that you are mine____
N.C.   D   G   D
I'll be here 'til the end of time.
N.C.   A   A⁷
So you got to let me know:____
N.C.   D   G   D
Should I stay or should I go?

Verse 2
N.C.   D   G   D
It's always tease, tease, tease;
N.C.   D   G   D
You're happy when I'm on my knees.
N.C.   G   F   G
One day is fine, the next is black,
N.C.   D   G   D
So if you want me off your back,
N.C.   A   A⁷
Well, come on and let me know:____
N.C.   D   G   D
Should I stay or should I go?

Chorus 1
N.C.   D   G   D
Should I stay or should I go now?
                                  G   D
Should I stay or should I go now?
                          G   F   G
If I go there will be trouble,

	D **G D**
cont.	And if I stay it will be double.

                                          A   **D G** │ **D**   ‖
So come on and let me know.

Verse 3

N.C.   **D**   **G**   **D**
This indecision's bugging me (esta undecision me molesta);
N.C.   **D**   **G**   **D**
If you don't want me, set me free (si no me quieres, librame).
N.C.   **G** **F**   **G**
Exactly who am I'm supposed to be? (Digame que tengo ser).
N.C.   **D**
Don't you know which clothes even fit me?
          G   **D**
(¿Saves que robas me queurda?)
N.C.   **A**   **A7**
Come on and let me know__ (me tienes que desir)
N.C.   **D**   **G**   **D**
Should I cool it or should I blow? (¿Me debo ir o quedarme?)

Instrumental │ **D G**   │ **D N.C.**│ **D G** │ **D N.C.**│ **G F**   │ **G N.C.** │

                  │ **D G**   │ **D N.C.**│ **A**   │ **A7**   │ **D G** │ **D N.C.**‖

Chorus 2

N.C.   **D**   **G**   **D**
Should I stay or should I go now? (¿Yo me frio o lo sophlo?)
                      D   **G**   **D**
Should I stay or should I go now? (¿Yo me frio o lo sophlo?)
                 G   **F**   **G**
If I go there will be trouble (si me voy va ver peligro),
                 D   **G**   **D**
And if I stay it will be double (si me quedo es doble).
               A
So you gotta let me know (me tienes que decir):
                  D   **G**   **D**
Should I cool it or should I blow? (¿Yo me frio o lo sophlo?)

Chorus 3

                             G   **D**
Should I stay or should I go now? (¿Yo me frio o lo sophlo?)
                 G   **F**   **G**
If I go there will be trouble (sl me voy va ver peligro),
                 D   **G**   **D**
And if I stay it will be double (si me quedo es doble).
               A
So you gotta let me know (me tienes que decir):
          G   **D**
Should I stay or should I go?

Smile

Words & Music by Lily Allen, Iyiola Babalola, Darren Lewis & Jackie Mittoo

Gm   Fmaj7

Intro ‖: Gm | Fmaj7 | Gm | Fmaj7 :‖

Verse 1

Gm   Fmaj7
When you first left me I was wanting more

                                       Fmaj7
But you were doing that girl next door, what'd you do that for

Gm   Fmaj7
When you first left me I didn't know what to say

                    Gm   Fmaj7
I never been on my own that way, just sat by my - self all day.

Pre-chorus 1

Gm
  I was so lost back then

Fmaj7
  But with a little help from my friends

Gm   Fmaj7
I found a light in the tunnel at the end____

Gm
  Now you're calling me up on the phone

Fmaj7
  So you can have a little whine and a moan

Gm   Fmaj7
And it's only because you're feeling a - lone.

Chorus 1

Gm   Fmaj7
  At first when I see you cry____

                  Gm   Fmaj7
Yeah it makes me smile,____ yeah it makes my smile____

Gm   Fmaj7
  At worst I feel bad for a while____

                Gm   Fmaj7
But then I just smile____ I go ahead and smile.____

| | Gm   Fmaj7 |
| *Verse 2* | When - ever you see me you say that you want me back |

Verse 2
          Gm   **Fmaj7**
When - ever you see me you say that you want me back
                Gm   **Fmaj7**
And I tell you it don't mean jack, no it don't mean jack
   Gm   **Fmaj7**
I couldn't stop laughing, no I just couldn't help myself
                    Gm   **Fmaj7**
See you messed up my mental health, I was quite un - well.

Pre-chorus 2   As Pre-chorus 1

Chorus 2   As Chorus 1

                Gm   **Fmaj7**
Link   La la, la la la, la la la, la la la, la la la, la la la, la la la, la la la, la la la,
Gm   **Fmaj7**
La la la, la la la, la la la, la la la, la.___

Chorus 3   As Chorus 1

            Gm   **Fmaj7**
Chorus 4   At first when I see you cry___
                      Gm   **Fmaj7**
Yeah it makes me smile,___ yeah it makes my smile___
Gm   **Fmaj7**
At worst I feel bad for a while___
                    Gm   **Fmaj7 N.C.**
But then I just smile___ I go ahead and smile.

Something's Gotten Hold Of My Heart

Words & Music by Roger Cook & Roger Greenaway

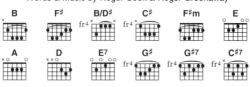

B	F♯	B/D♯
C♯	F♯m	E
A	D	E7
G♯	G♯7	C♯7

Intro | N.C. | B | B | F♯ |

             | B/D♯ | C♯ | N.C.   ‖

Verse 1
    F♯m   E
Something's gotten hold of my heart,
          F♯m   C♯   F♯m
Keeping my soul and my senses a - part.
F♯m   E
Something's gotten into my life,
          F♯m   C♯   F♯m
Cutting its way through my dreams like a knife.
E   F♯m C♯   F♯m
Turning me up, turning me down,
E   F♯m C♯   F♯m
Making me smile, making me frown.

Chorus 1
               E
In a world that was war,
         A
I once lived in a time,
       D
That was peace,
      C♯   F♯m
With no trouble at all.
           E   E7
But then you came my way,
         A
And a feeling I know,
       E
Shook my heart,

176

        B   **E**
And made me want you to stay.
B   **E**
All of my nights
     B   **D**   **C♯**
And all of my days.——

Verse 2

I wanna tell you now
F♯m
Something gotta hold of my hand,
        F♯m   **C♯**   **F♯m**
Dragging my soul to a beautiful land.

                        E
Yeah,—— something has invaded my night,
           F♯m   **C♯**   **F♯m**
Painting my sleep with a colour so bright.
E   **F♯m C♯**   **F♯m**
Changing the grey, changing the blue,
E   **F♯m C♯**   **F♯m**   **N.C.**
Scarlet for me, scarlet for you.

Link

| **B** | **B** | **F♯** | **B/D♯** | **G♯** | **G♯** ‖
                                       (I've)

Bridge

      N.C.   **G♯**
I've got to know if this is the real thing,
        N.C.   **C♯**
I've got to know what's making my heart sing, oh yeah.

A smile and I am lost for a lifetime,

Each minute spent with you is the right time.

Every hour yeah, every day yeah,——
      C♯7
You touch me and my mind goes astray, yeah.——

And baby yeah, and baby yeah.

Verse 3

F♯m   **E**
Something's gotten hold of my hand,
        F♯m   **C♯**   **F♯m**
Dragging my soul to a beautiful land.
                       E
Yeah, something's gotten into my life,

cont.

        F♯m   C♯   F♯m
Cutting its way through my dreams like a knife.

E   F♯m C♯   F♯m
Turning me up, turning me down,

E   F♯m C♯   F♯m
Making me smile, making me frown.

Chorus 2

                  E
In a world that was war,

            A
I once lived in a time

         D
That was peace

        C♯m   F♯m
With no trouble at all.

        N.C. F♯m   N.C. F♯m   N.C. F♯m
But then you,   you,   you,

N.C.   E   E7
You came my way,

               A
And a feeling I know

         E
Shook my heart,

           B   E
And made me want you to stay.

B   E
All of my nights,

B   D   C♯
And all of my days.—

Verse 4

I wanna tell you now,

F♯m   E
Something's gotten hold of my heart,

           F♯m   C♯   F♯m
Keeping my soul and my senses a - part.

                            E
Yeah,— something has invaded my night,

           F♯m   C♯   F♯m
Painting my sleep with a colour so bright.

E   F♯m C♯   F♯m
Changing the grey,— changing the blue,—

E   F♯m C♯   F♯
Scarlet for me, scarlet for you.

Stay (I Missed You)

Words & Music by Lisa Loeb

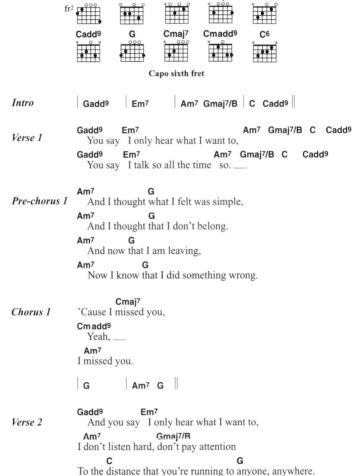

Gadd9   Em7   Am7   Gmaj7/B   C

Cadd9   G   Cmaj7   Cmadd9   C6

Capo sixth fret

Intro | Gadd9 | Em7 | Am7 Gmaj7/B | C Cadd9 ||

Verse 1

Gadd9   Em7   Am7 Gmaj7/B C Cadd9
You say I only hear what I want to,

Gadd9   Em7   Am7 Gmaj7/B C   Cadd9
You say I talk so all the time so. __

Pre-chorus 1

Am7   G
And I thought what I felt was simple,

Am7   G
And I thought that I don't belong.

Am7   G
And now that I am leaving,

Am7   G
Now I know that I did something wrong.

Chorus 1

          Cmaj7
'Cause I missed you,

Cmadd9
  Yeah, __

  Am7
I missed you.

| G | Am7 G ||

Verse 2

Gadd9   Em7
And you say I only hear what I want to,

Am7   Gmaj7/B
I don't listen hard, don't pay attention

    C   G
To the distance that you're running to anyone, anywhere.

cont.

    Am7   **Gmaj7/B**
I don't understand if you really care,

      C
I'm only hearing negative, no, no, no. _____

Verse 3

    Am7   **G**   **Am7**
So I turn the radio on, I turn the radio up

          G
And this woman was singing my song:

Am7   **G**
Lovers in love and the others run away,

Am7   **G**
Lover is crying 'cause the other won't stay.

Am7   **G**
  Some of us hover when we weep for the other,

       Am7   **G**
Who was dying since the day they were born.

     Am7   **G**   **Am7**
Well this is not that I think that I'm throwing, but I'm thrown

G   **Am7**
  And I thought I'd live forever,

But now I'm not so sure.

       C
You try to tell me that I'm clever

But that won't take me anyhow,

Am7   **Gmaj7/B** **C**   **Cadd9**
  Or anywhere with you.

Pre-chorus 2

Am7   **G**
  And you said that I was naive

       Am7   **G**
And I thought that I was strong:

Am7   **G**
  I thought, hey I can leave, I can leave.

     Am7   **G**
Oh but now I know that I was wrong.

Chorus 2

       C6
'Cause I missed you,

Cmadd9
  Yeah, _____

  Am7
I missed you.

| **G** | **Am7** **G** |

                                    Am7
Verse 4   You said you caught me 'cause you want me

                   And one day I'll let you go.
                              C
                   You try to give away a keeper, or keep me
                                            Am7   **Gmaj7/B**   **C**   **Cadd9**
                   'Cause you know you're just so scared to lose.

                                    Gadd9
Coda   And you say, ____

                   Em7   **Am7** **Gmaj7/B** **C**   **Cadd9**
                     "Stay"
                   Gadd9
                     And you say
                   Em7   **Am7** **Gmaj7/B** **C** **Cadd9**
                     I only hear what I want to.

Somewhere Only We Know

Words & Music by Tim Rice-Oxley, Tom Chaplin & Richard Hughes

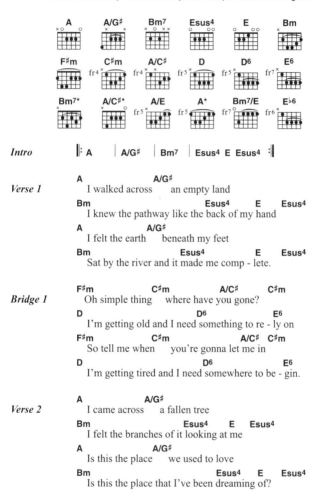

Intro ‖: A | A/G♯ | Bm⁷ | Esus⁴ E Esus⁴ :‖

Verse 1
    A   A/G♯
    I walked across   an empty land
    Bm   Esus⁴   E   Esus⁴
    I knew the pathway like the back of my hand
    A   A/G♯
    I felt the earth   beneath my feet
    Bm   Esus⁴   E   Esus⁴
    Sat by the river and it made me comp - lete.

Bridge 1
    F♯m   C♯m   A/C♯   C♯m
    Oh simple thing   where have you gone?
    D   D⁶   E⁶
    I'm getting old and I need something to re - ly on
    F♯m   C♯m   A/C♯ C♯m
    So tell me when   you're gonna let me in
    D   D⁶   E⁶
    I'm getting tired and I need somewhere to be - gin.

Verse 2
    A   A/G♯
    I came across   a fallen tree
    Bm   Esus⁴   E   Esus⁴
    I felt the branches of it looking at me
    A   A/G♯
    Is this the place   we used to love
    Bm   Esus⁴   E   Esus⁴
    Is this the place that I've been dreaming of?

Bridge 2	As Bridge 1

Chorus 1

Bm7*   **A/C#***   **A/E**
And if you have a minute why don't we go
Bm7*   **A/C#***   **A/E**
Talk about it somewhere only we know
Bm7*   **A/C#***   **A/E**
This could be the end of every - thing
D6
So why don't we go
D6   **A***
Somewhere only we know.

Link 1

D6   **E6**   **D6**   **E6**   **Bm7/E**   **E6**
Somewhere only we know.__

Bridge 3	As Bridge 1

Chorus 2

Bm7*   **A/C#***   **A/E**
And if you have a minute why don't we go
Bm7*   **A/C#***   **A/E**
Talk about it somewhere only we know
Bm7*   **A/C#***   **A/E**
This could be the end of every - thing
D6
So why don't we go
D6   **A***
So why don't we   go.

Outro

| **Bm7*** | **A/C#*** **A/E** | **Bm7*** | **A/C#*** **A/E** ‖
Bm7*   **A/C#***   **A/E**
This could be the end of every - thing
D6
So why don't we go
E6   **A***
Somewhere only we know
D6   **E6**   **E♭6**   **D6**
Somewhere only we kno - ow
E6   **D6**   **D**   **A***
Somewhere only we know.__

Sweet Dreams
(Are Made Of This)

Words & Music by Annie Lennox & Dave Stewart

Cm	A♭	G7	Fm7	F
fr3	fr4	fr3		

Intro | Cm | A♭ G7 | Cm | A♭ G7 ‖

Verse 1

    Cm   A♭   G7
     Sweet dreams are made of this,
    Cm   A♭   G7
    Who am I to dis - a - gree?
    Cm   A♭   G7
    I travel the world and the seven seas,
    Cm   A♭   G7
    Everybody's looking for something.

Verse 2

    Cm   A♭   G7
    Some of them want to use you,
    Cm   A♭   G7
    Some of them want to get used by you.
    Cm   A♭   G7
    Some of them want to a - buse you,
    Cm   A♭   G7
    Some of them want to be a - bused.

Link 1

    A♭   G7 Cm Fm7
    Ooh._____
    A♭   G7
    Ooh.___

Verse 3   As Verse 1

Link 2   As Link 1

Bridge

Cm   **F**
Hold your head up, keep your head up, movin' on.

Cm   **F**
Hold your head up, movin' on, keep your head up, movin' on.

Cm   **F**
Hold your head up, movin' on, keep your head up, movin' on.

Cm   **F**
Hold your head up, movin' on, keep your head up.

Instrumental ‖: **Cm**   │ **A**♭ **G7** │ **Cm**   │ **A**♭ **G7** :‖

Verse 4   As Verse 2

Link 3
A♭   **G7 Cm Fm7**
Ooh._____
A♭   **G7**
Ooh.___

Verse 5   As Verse 1

Verse 6
N.C.
Sweet dreams are made of this,

Who am I to disagree?

I travel the world and the seven seas,

Everybody's looking for something.

Outro
Cm   **A**♭   **G7**
‖: Sweet dreams are made of this,
Cm   **A**♭   **G7**
Who am I to dis - a - gree?
Cm   **A**♭   **G7**
I travel the world and the seven seas,
Cm   **A**♭   **G7**
Everybody's looking for something. :‖ *Repeat to fade*

Sweet Home Alabama

Words & Music by Ronnie Van Zant, Ed King & Gary Rossington

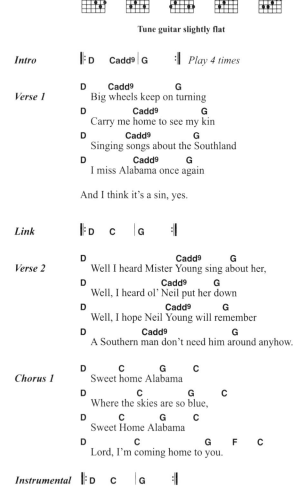

Tune guitar slightly flat

Intro   ‖: D   Cadd⁹ | G   :‖ *Play 4 times*

Verse 1
D   Cadd⁹   G
Big wheels keep on turning

D   Cadd⁹   G
Carry me home to see my kin

D   Cadd⁹   G
Singing songs about the Southland

D   Cadd⁹   G
I miss Alabama once again

And I think it's a sin, yes.

Link   ‖: D   C | G   :‖

Verse 2
D   Cadd⁹   G
Well I heard Mister Young sing about her,

D   Cadd⁹   G
Well, I heard ol' Neil put her down

D   Cadd⁹   G
Well, I hope Neil Young will remember

D   Cadd⁹   G
A Southern man don't need him around anyhow.

Chorus 1
D   C   G   C
Sweet home Alabama

D   C   G   C
Where the skies are so blue,

D   C   G   C
Sweet Home Alabama

D   C   G   F   C
Lord, I'm coming home to you.

Instrumental   ‖: D   C | G   :‖

Verse 3

| D | Cadd9 | G | F | C |

In Birmingham they love the gov'nor, (ooh, ooh, ooh)

| D | Cadd9 | G |

Now we all did what we could do

| D | Cadd9 | G |

Now Watergate does not bother me

| D | Cadd9 | G |

Does your conscience bother you?

Tell the truth.

Chorus 2

| D | C | G | C |

Sweet home Alabama

| D | C | G | C |

Where the skies are so blue

| D | C | G | C |

Sweet Home Alabama

| D | C | G |

Lord, I'm coming home to you

Here I come, Alabama.

Instrumental ‖: D C | G   :‖

Verse 4

| D | Cadd9 | G |

Now Muscle Shoals has got the Swampers

| D | Cadd9 | G |

And they've been known to pick a song or two (yes they do),

| D | Cadd9 | G |

Lord they get me off so much

| D | Cadd9 | G |

They pick me up when I'm feeling blue

Now how about you?

Chorus 3   As Chorus 1

Chorus 4

| D | C | G | C |

Sweet home Alabama (oh sweet home baby)

| D | C | G | C |

Where the skies are so blue (and the guv'nor's true)

| D | C | G | C |

Sweet Home Alabama (Lordy)

| D | C | G |

Lord, I'm coming home to you.

Outro   ‖: D C | G   :‖   *Repeat to fade*

Yeah, yeah Montgomery's got the answer.

187

Take Me Out

Words & Music by Alexander Kapranos & Nicholas McCarthy

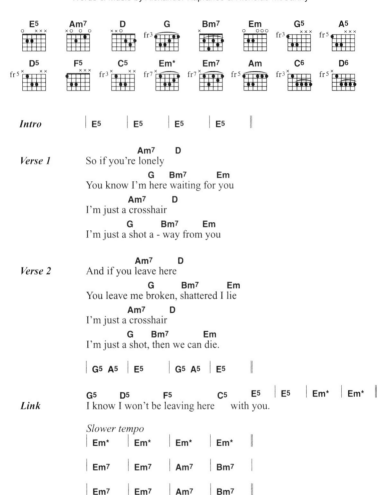

Intro | E5 | E5 | E5 | E5 ‖

Verse 1
               Am7   D
So if you're lonely
                   G   Bm7   Em
You know I'm here waiting for you
             Am7   D
I'm just a crosshair
           G   Bm7   Em
I'm just a shot a - way from you

Verse 2
                Am7   D
And if you leave here
                G   Bm7   Em
You leave me broken, shattered I lie
            Am7   D
I'm just a crosshair
           G   Bm7   Em
I'm just a shot, then we can die.

| G5 A5 | E5 | | G5 A5 | E5 ‖

Link
G5   D5   F5   C5   E5 | E5 | Em* | Em* ‖
I know I won't be leaving here   with you.

Slower tempo
| Em* | Em* | Em* | Em* ‖

| Em7 | Em7 | Am7 | Bm7 |

| Em7 | Em7 | Am7 | Bm7 ‖

Chorus 1

Em7
  I say don't you know

You say you don't know

Am7
  I say,

Bm7
  Take me out!

Chorus 2

Em7
  I say you don't show

Don't move, time is slow

Am7
  I say,

Bm7
Take me out!

| Em7 | Em7 | Am7 | Bm7 ‖

Chorus 3

Em7
  I say you don't know

You say you don't know

Am7
  I say,

Bm7
  Take me out!

Chorus 4

Em7
  If I move this could die

If eyes move, this could die

Am7
  I want you

Bm7
  To take me out!

| E5 | E5 ‖

Bridge 1

Am   C6   D6
I know I won't be leaving here (with you)

   Am   C6   D6
Oh, I know I won't be leaving here

Am   C6   D6
I know I won't be leaving here   (with you)

Am   C6   D6 Em7 | Em7 | Am7 | Bm7 ‖
I know I won't be leaving here with you.

Chorus 5

Em7
 I say don't you know

You say you don't know

Am7
 I say,

Bm7
 Take me out!

Chorus 6

Em7
 If I wane, this could die

If I wait, this could die

Am7
  I want you

Bm7
 To take me out!

Chorus 7

Em7
 If I move this could die

If eyes move, this can die

Am7
C'mon,

Bm7 **N.C.**
  Take me out!

| Em* | Em* | Am7 | Bm7 | E5 | E5 ‖

Bridge 2

Am   C6   D6
I know I won't be leaving here (with you)

   Am   C6   D6
Oh, I know I won't be leaving here

Am   C6   D6
I know I won't be leaving here (with you)

Am   C6   D6 Em* | Em* | Em* | Em* ‖
I know I won't be leaving here with you.

190

Time To Pretend

Words & Music by Andrew Vanwyngarden & Benjamin Goldwasser

Intro   ‖: **D5** | **Dsus4 D Dsus4 D5** :‖ *play 4 times*

Verse 1

        D   **G**
I'm feeling rough, I'm feeling raw,

                      D
I'm in the prime of my life.

                             G
Let's make some music, make some money,

                    D
Find some models for wives.

                        G
I'll move to Paris, shoot some heroin,

                D
And fuck with the stars.

                      G
You man the island and the cocaine,

            D
And the elegant cars.

Bridge 1

  G   **A/G**
This is our decision, to live fast and die young,

  G   **A/G**   **D**
We've got the vision, now let's have some fun.

  G   **A/G**
Yeah, it's overwhelming, but what else can we do?

  G   **A/G**   **(D)**
Get jobs in offices, and wake up for the morning com - mute.

Link 1
```
| D              | D              |
(- mute)
| D              | D              |
```

Chorus 1

    A   **D/F♯**
Forget about our mothers and our friends,
                G   **A**   **D**
We're fated to pre - tend.
G   **D**
  To pre - tend,
            G   **D**
We're fated to pre - tend,
G   **D**   **G**
   To pre - tend.

Verse 2

    D   **G**
  I'll miss the playgrounds and the animals,
                 D
And digging up worms.
                     G
I'll miss the comfort of my mother,
                D
And the weight of the world.
                  G
I'll miss my sister, miss my father,
               D
Miss my dog and my home.
                        G
Yeah, I'll miss the boredom and the freedom,
                D
And the time spent a - lone.

Bridge 2

G   A/G
There is really nothing, nothing we can do,
G   A/G   (D)
Love must be forgotten, life can always start up a - new.

Link 2

| D | D |
(- new)
| D | D |

Bridge 3

    G   A/G
The models will have children, we'll get a divorce,
         G   A/G   (D)
We'll find some more models, everything must run its course.

Link 3

| D | D |
(course)
| D | D |

Chorus 2

        A   D/F♯
We'll choke on our vomit and that will be the end,
                  G   A   D
We were fated to pre - tend,
G   D
  To pre - tend,
         G   D
We're fated to pre - tend,
G   D
  To pre - tend.

Outro

G   D
  I said, yeah, yeah, yeah,
‖: G   D
   Yeah, yeah, yeah. :‖ *Play 3 times*

| G   ‖

Teenage Kicks

Words & Music by John O'Neill

D fr10   C♯ fr9   Bm fr7   A fr5   G fr3   G♯ fr4

Intro   ‖: D | D   C♯ | Bm | Bm   C♯ :‖

Verse 1
D   C♯
    A teenage dream's so hard to beat
Bm   C♯
    Every time she walks down the street.
D   C♯
    Another girl in the neighbourhood,
Bm   A
    Wish she was mine, she looks so good.

Chorus 1
G
    I wanna hold her, wanna hold her tight,
G♯ A
Get teenage kicks right through the night.

Verse 2
D   C♯
    I'm gonna call her on the telephone,
Bm   C♯
    Have her over 'cause I'm all alone.
D   C♯
    I need excitement, oh, I need it bad
Bm   A
    And it's the best I've ever had.

Chorus 2
G
    I wanna hold her, wanna hold her tight,
G♯ A
Get teenage kicks right through the night.

Link   ‖: D | D   C♯ | Bm | Bm   C♯ :‖

Verse 3

D   C♯
A teenage dream's so hard to beat

Bm   C♯
Every time she walks down the street.

D   C♯
Another girl in the neighbourhood,

Bm   A
Wish she was mine, she looks so good.

Chorus 3

G
I wanna hold her, wanna hold her tight,

G♯ A
Get teenage kicks right through the night.

Verse 4

D   C♯
I'm gonna call her on the telephone,

Bm   C♯
Have her over 'cause I'm all alone.

D   C♯
I need excitement, oh, I need it bad

Bm   A
And it's the best I've ever had.

Chorus 4

G
I wanna hold her, wanna hold her tight

G♯ A
Get teenage kicks right through the night, alright!

Guitar solo

| D | D | C♯ | Bm | | Bm | C♯ |

| D | D | C♯ | Bm | | Bm | A ‖

Chorus 5

G
I wanna hold her, wanna hold her tight,

G♯ A
Get teenage kicks right through the night.

Coda

| D | G | A | D | ‖

195

There She Goes

Words & Music by Lee Mavers

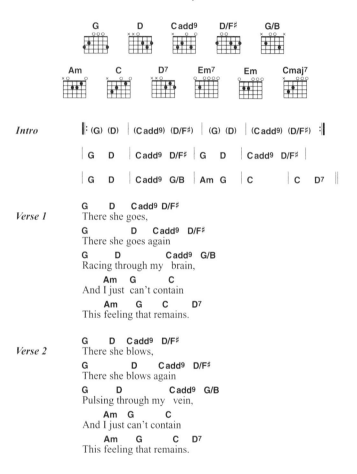

Intro

‖: (G) (D) | (Cadd⁹) (D/F♯) | (G) (D) | (Cadd⁹) (D/F♯) :‖

| G   D | Cadd⁹   D/F♯ | G   D | Cadd⁹   D/F♯ |

| G   D | Cadd⁹   G/B | Am   G | C | C   D⁷ ‖

Verse 1

G   D   Cadd⁹   D/F♯
There she goes,
G   D   Cadd⁹   D/F♯
There she goes again
G   D   Cadd⁹   G/B
Racing through my   brain,
      Am   G   C
And I just can't contain
      Am   G   C   D⁷
This feeling that remains.

Verse 2

G   D   Cadd⁹   D/F♯
There she blows,
G   D   Cadd⁹   D/F♯
There she blows again
G   D   Cadd⁹   G/B
Pulsing through my   vein,
      Am   G   C
And I just can't contain
      Am   G   C   D⁷
This feeling that remains.

Link

| G   D | Cadd9 D/F♯ | G   D | Cadd9 D/F♯ | G   D |

| Cadd9 G/B | Am G | C | Am G | C | C   D7 ||

Bridge

Em7   C
There she goes,

Em7   C
There she goes again:

　　D   D7 G
She calls my name,

D   D7 Cmaj7
Pulls my train,

D   D7 G   D   D7   Cmaj7
No-one else could heal my pain.

　　Am   Em
But I just can't contain

　　　C   D7
This feeling that remains.

Verse 3

G   D   Cadd9   D/F♯
There she goes,

G   D   Cadd9 D/F♯
There she goes again

G   D   Cadd9 G/B
Chasing down my lane

　　Am G   C
And I just can't contain

　　Am   G   C   D7
This feeling that remains.

Coda

G   D   Cadd9   D/F♯
There she goes,

G   D   Cadd9   D/F♯
There she goes,

G   D   C   D/F♯ G
There she goes a - gain.

This Charming Man

Words & Music by Morrissey & Johnny Marr

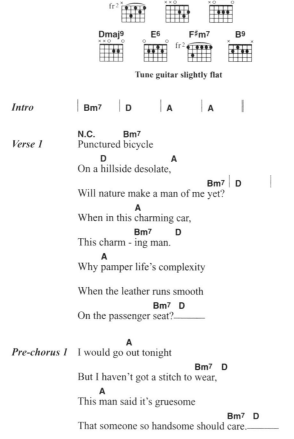

Bm7   D   A

Dmaj9   E6   F♯m7   B9

Tune guitar slightly flat

Intro
| Bm7 | D | A | A ‖

Verse 1
N.C.   Bm7
Punctured bicycle

D   A
On a hillside desolate,

Bm7 | D
Will nature make a man of me yet?

A
When in this charming car,

Bm7   D
This charm - ing man.

A
Why pamper life's complexity

When the leather runs smooth

Bm7   D
On the passenger seat?————

Pre-chorus 1
A
I would go out tonight

Bm7   D
But I haven't got a stitch to wear,

A
This man said it's gruesome

Bm7   D
That someone so handsome should care.————

Chorus 1

          Dmaj⁹ E⁶ |F♯m⁷
Ah!   A jumped-up pantry boy

          B⁹   Dmaj⁹
Who never knew his place,

          B⁹   F♯m⁷
He said, "Re - turn the ring".

          Dmaj⁹   E⁶   F♯m⁷   B⁹
He knows so much a - bout these things,

          Dmaj⁹   E⁶   F♯m⁷
He knows so much a - bout these things.

Pre-chorus 2

          N.C.   A
I would go out tonight

                              Bm⁷   D
But I haven't got a stitch to wear,

          A
This man said it's gruesome

                              |Bm⁷   D
That someone so handsome should care___

          A   Bm⁷   D
La, la-la, la-la, la-la, this charm - ing man___

          A   Bm⁷   D
Oh, la-la, la-la, la-la, this charm - ing man___

Chorus 2

          Dmaj⁹ E⁶   F♯m⁷
Ah!   a jumped-up pantry boy

          B⁹   Dmaj⁹
Who never knew his place,

          B⁹   F♯m⁷
He said, "Re - turn the ring".

          Dmaj⁹   E⁶   F♯m⁷   B⁹
He knows so much about these things,

          Dmaj⁹   E⁶   F♯m⁷
He knows so much a - bout these things.

          Dmaj⁹ E⁶   F♯m⁷ B⁹   Dmaj⁹   B⁹   F♯m⁷
He knows so much a - bout   these   things._____

Outro | Dmaj⁹ | E⁶ | F♯m⁷ | B⁹ | Dmaj⁹ | B⁹ |F♯m⁷ | F♯m⁷ ‖

Torn

Words & Music by Anne Preven, Phil Thornalley & Scott Cutler

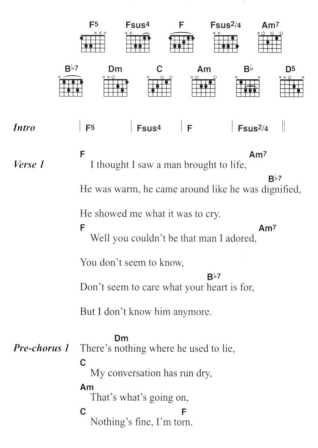

Intro | F5 | Fsus4 | F | Fsus2/4 ‖

Verse 1
    F
I thought I saw a man brought to life,   **Am7**

He was warm, he came around like he was dignified, **B♭7**

He showed me what it was to cry.
    F   **Am7**
    Well you couldn't be that man I adored,

You don't seem to know,
                        B♭7
Don't seem to care what your heart is for,

But I don't know him anymore.

Pre-chorus 1
          Dm
There's nothing where he used to lie,
  C
    My conversation has run dry,
  Am
    That's what's going on,
  C   **F**
    Nothing's fine, I'm torn.

Chorus 1

                C
I'm all out of faith,

             Dm
This is how I feel,

                   B♭
I'm cold and I am shamed

                F
Lying naked on the floor.

               C   **Dm**
Illusion never changed into something real,

             B♭   **F**
Wide awake and I can see the perfect sky is torn,

               C
You're a little late,

             Dm
I'm already torn.

Verse 2

    F   **Am7**
  So I guess the fortune teller's right.

I should have seen just what was there
             B♭**7**
And not some holy light,

But you crawled beneath my veins.

Pre-chorus 2

             Dm
And now I don't care, I had no luck,

C
  I don't miss it all that much,

Am
  There's just so many things

C   **F**
  That I can search, I'm torn.

Chorus 2   As Chorus 1

Dm   **B**♭
Torn

D5   **F**   **C**
Oo, oo, oo.____

                              Dm
Pre-chorus 3   There's nothing where he used to lie,
                  C
                      My inspiration has run dry,
                  Am
                    That's what's going on,
                  C   **F**
                      Nothing's right, I'm torn.

                                  C
Chorus 3   I'm all out of faith,
                              Dm
                  This is how I feel,
                                          B♭
                  I'm cold and I am shamed,
                                  F
                  Lying naked on the floor.
                                    C   **Dm**
                  Illusion never changed into something real,
                              B♭   **F**
                  Wide awake and I can see the perfect sky is torn.

                                  C
Chorus 4   I'm all out of faith,
                              Dm
                  This is how I feel,
                                          B♭
                  I'm cold and I'm ashamed,
                                      F
                  Bound and broken on the floor.
                                  C
                  You're a little late,
                              Dm   **B**♭
                  I'm already torn…
                  Dm   **C**
                  Torn…

                  Repeat Chorus ad lib. to fade

What I Am

Words & Music by Edie Brickell, Kenneth Withrow,
John Houser, John Bush & Brandon Aly

Bsus2 **Dsus2** **Asus2** **Em** **D**

Intro   ‖: Bsus2 | Dsus2 | Asus2 | Bsus2 :‖

           Bsus2   **Dsus2**

Verse 1 I'm not aware of too many things,

            Asus2   **Bsus2**

           I know what I know if you know what I mean.

       | Bsus2 | Dsus2 | Asus2 | Bsus2 |

           Bsus2   **Dsus2**

           I'm not aware of too many things,

            Asus2   **Bsus2**

           I know what I know if you know what I mean.

       | Bsus2 | Dsus2 | Asus2 | Bsus2 ‖

           Bsus2 **Dsus2** **Asus2**   **Bsus2**

Verse 2 Philosophy   is the talk on a cereal box,

              Dsus2 **Asus2**   **Bsus2**

           Religion   is the smile on a dog.

           Bsus2   **Dsus2**

           I'm not aware of too many things,

            Asus2   **Bsus2**

           I know what I know if you know what I mean.

       | Bsus2 | Dsus2 | Asus2 | Bsus2 ‖

           Em   **D**

Pre-chorus 1 Choke me in the shallow water

            Em   **D**

            Before I get too deep.

Chorus 1

Bsus²   Dsus²
What I am is what I am.

        Asus²   Bsus²
Are you what you are or what?

Bsus²   Dsus²
What I am is what I am.

        Asus²   Bsus²
Are you what you are or what?

Verse 3

Bsus²   Dsus²
I'm not aware of too many things,

Asus²   Bsus²
I know what I know if you know what I mean.

| Bsus² | Dsus² | Asus² | Bsus² |

    Bsus² Dsus² Asus²   Bsus²
Philosophy   is a walk on the slippery rocks,

      Dsus² Asus²   Bsus²
Religion   is a   light in the fog.

Bsus²   Dsus²
I'm not aware of too many things,

Asus²   Bsus²
I know what I know if you know what I mean.

| Bsus² | Dsus² | Asus² | Bsus² ‖

Pre-chorus 2

   Em   D
‖: Choke me in the shallow water

   Em   D
Before I get too deep. :‖

Chorus 2

Bsus²   Dsus²
What I am is what I am.

        Asus²   Bsus²
Are you what you are or what?

Bsus²   Dsus²
What I am is what I am.

        Asus²   Bsus²
Are you what you are or what?

Bsus²   Dsus²
What I am is what I am.

        Asus²   Bsus²
Are you what you are or what you are?

Bsus²   Dsus²
What I am is what I am.

        Asus²   Bsus²
Are you what you are or   what?

Middle

Em   D
Ha, la la la,

 Em
I say, I say, I say.

 D
I do, hey, hey, hey, hey hey.

Guitar Solo   ‖: Bsus² | Dsus² | Asus² | Bsus² :‖ *Play 8 times*

Pre-chorus 3   As Pre-chorus 2

Verse 4

Bsus²   Dsus²
Choke me in the shallow water

     Asus²   Bsus²
Before I get too deep.

Bsus²   Dsus²
Choke me in the shallow water

     Asus²   Bsus²
Before I get too deep.

Bsus²   Dsus²
Choke me in the shallow water

     Asus²   Bsus² Dsus² Asus²
Before I get too   deep.

Bsus²
 Don't let me get too deep.

Dsus²   Asus²
 Don't let me get too deep.

Bsus²
 Don't let me get too deep.

 Dsus²   Asus² Bsus²
Don't let me get too deep.

Chorus 3   ‖: As Chorus 2 :‖ *Repeat to fade*

205

Video Killed The Radio Star

Words & Music by Geoffrey Downes, Trevor Horn & Bruce Woolley

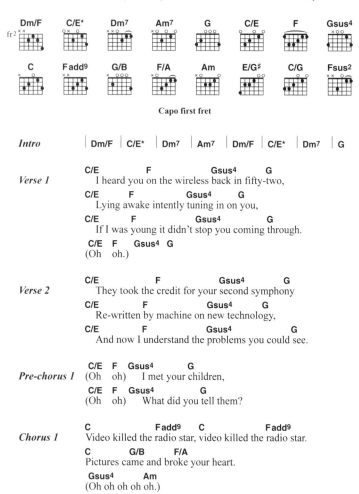

Capo first fret

Intro | Dm/F | C/E* | Dm7 | Am7 | Dm/F | C/E* | Dm7 | G ‖

Verse 1
      C/E   F   Gsus4   G
      I heard you on the wireless back in fifty-two,
      C/E   F   Gsus4   G
      Lying awake intently tuning in on you,
      C/E   F   Gsus4   G
      If I was young it didn't stop you coming through.
      C/E F Gsus4 G
      (Oh   oh.)

Verse 2
      C/E   F   Gsus4   G
      They took the credit for your second symphony
      C/E   F   Gsus4   G
      Re-written by machine on new technology,
      C/E   F   Gsus4   G
      And now I understand the problems you could see.

Pre-chorus 1
      C/E F Gsus4   G
      (Oh   oh)   I met your children,
      C/E F Gsus4   G
      (Oh   oh)   What did you tell them?

Chorus 1
      C   Fadd9   C   Fadd9
      Video killed the radio star, video killed the radio star.
      C   G/B   F/A
      Pictures came and broke your heart.
      Gsus4   Am
      (Oh oh oh oh oh.)

206

Verse 3

```
        C/E             F           Gsus4         G
        And now we meet in an abandoned studio,
        C/E             F               Gsus4       G
        We hear the playback and it seems so long ago,
        C/E             F           Gsus4         G
        And you remember the jingles used to go:
```

Pre-chorus 2

```
        C/E  F  Gsus4          G
        (Oh   oh)    You were the first one,
        C/E  F  Gsus4          G
        (Oh   oh)    You were the last one.
```

Chorus 2

```
        C               Fadd9   C               Fadd9
        Video killed the radio star, video killed the radio star.
        C       G/B     F/A
        In my mind and in my car
          C       G/B         F/A
        We can't rewind, we've gone too far.
        Gsus4       Am
        (Oh oh oh oh oh.)
        Gsus4       Am
        (Oh oh oh oh oh.)
```

Instrumental

```
‖: F   G  | C/E  F  :‖ F   G  | E/G♯  Am |
 | Dm/F  | C/G  | Dm7  | G   Am | F Am F G ‖
```

Chorus 3

```
        C               Fadd9   C               Fadd9
        Video killed the radio star, video killed the radio star.
        C       G/B     F/A
        In my mind and in my car
          C       G/B         F/A
        We can't rewind, we've gone too far.
        C       G/B     F/A
        Pictures came and broke your heart,
        C/G     G       Fsus2
        Put the blame on VCR.
```

Coda

```
        C/E  F  Gsus4   G    C/E   F  Gsus4  G
     ‖: You are ____ the radio star. _____  :‖
        C               Fadd9
     ‖: Video killed the radio star.  :‖  Play 4 times
          C               Fadd9     C               Fadd9
  {  ‖: Video killed the radio  star.   Video killed the radio star.  :‖
  {     You are _____ a radio star. _____
                                           Repeat to fade
```

207

Virginia Plain

Words & Music by Bryan Ferry

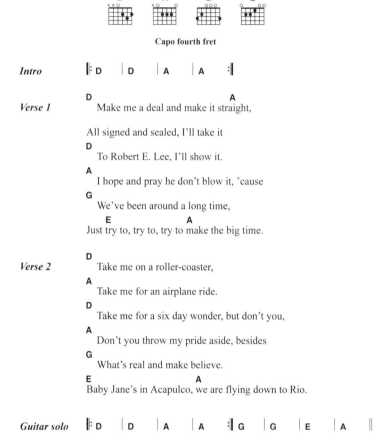

Capo fourth fret

Intro ‖: D | D | A | A :‖

Verse 1

D
Make me a deal and make it straight,   A

All signed and sealed, I'll take it
D
To Robert E. Lee, I'll show it.
A
I hope and pray he don't blow it, 'cause
G
We've been around a long time,
E   A
Just try to, try to, try to make the big time.

Verse 2

D
Take me on a roller-coaster,
A
Take me for an airplane ride.
D
Take me for a six day wonder, but don't you,
A
Don't you throw my pride aside, besides
G
What's real and make believe.
E   A
Baby Jane's in Acapulco, we are flying down to Rio.

Guitar solo ‖: D | D | A | A :‖ G | G | E | A ‖

Verse 3

D   A
Throw me a line, I'm sinking fast,

Clutching at straws, can't make it.

D
Havana sound, we're trying

A
Hard edge, the hipster jiving.

G
Last picture show's down the drive-in.

E
You're so sheer, you're so chic,

A
Teenage rebel of the week.

Verse 4

D
Flavours of the mountain steamline,

A
Midnight blue casino floors.

D
Dance the cha-cha through till sunrise.

A
Opens up exclusive doors, oh wow!

G
Just like flamingos look the same,

 E
So me and you, just we two,

A
Got to search for something new.

Instrumental | A | A | A | D | A |

‖: D | A | D | A :‖ *Play 3 times*

Verse 5

D
Far beyond the pale horizon,

A
Some place near the desert sand.

D
Where my Studebaker takes me,

A
That's where I'll make my stand, but wait,

G
Can't you see that Holzer mane?

E
What's her name? Virginia Plain.

Viva La Vida

Words & Music by Guy Berryman, Jon Buckland, Will Champion & Chris Martin

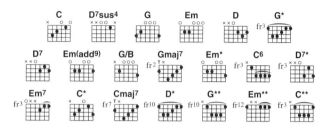

Capo first fret

Intro | C | D⁷sus⁴ | G | Em |

           | C | D⁷sus⁴ | G | Em   ‖

Verse 1
         (Em)   C   D⁷sus⁴
         I used to rule the world,
                      G   Em
         Seas would rise when I gave the word.
                         C   D⁷sus⁴
         Now in the morning I sleep a - lone,
                    G   Em
         Sweep the streets I used to own.

Interlude 1 | C | D | G* | Em |

                | C | D | G* | Em   ‖

Verse 2

   (Em)   **C**   **D7sus4**
I used to roll the dice,

        G   **Em**
Feel the fear in my enemy's eyes.

               C   **D7sus4**
Listened as the crowd would sing:

        G   **Em**
"Now the old king is dead, long live the king."

         C   **D7sus4**
One minute I held the key,

        G   **Em**
Next the walls were closed on   me.

                C   **D7sus4**
And I discovered that my castles stand,

        G   **Em**
Upon pillars of salt and pil - lars of sand.

Chorus 1

   C   **D7**
I hear Jerusalem bells a-ringing,

   G   **Em(add9)**
Roman cavalry choirs are singing.

   C   **D7**
Be my mirror my sword and shield,

   G   **Em(add9)**
My missionaries in a foreign field.

   C   **D7**
For some reason I can't explain,

   G/B   **Em(add9)**
Once you'd gone there was never,

              C   **D7**
Never an ho - nest word,

         Gmaj7   **Em***
And that was when I ruled the world.

Interlude 2 | **C6** | **D7*** | **G*** | **Em7** |

                     | **C6** | **D7*** | **G*** | **Em7**   ‖

Verse 3

(Em7)   C   D7sus4
It was the wicked and wild wind,

                G   Em
Blew down the doors to let me in.

                                 C   D7sus4
Shattered windows and the sound of drums,

                G   Em
People couldn't believe what I'd become.

             C   D7sus4
Revolution - aries wait,

           G   Em
For my head on a silver plate.

                  C   D7sus4
Just a puppet on a lonely string,

           G   Em
Oh, who would ever want to be king?

Chorus 2

    C   D7
I hear Jerusalem bells a-ringing,

    G   Em(add9)
Roman cavalry choirs are singing.

    C   D7
Be my mirror my sword and shield,

      G   Em(add9)
My missionaries in a foreign field.

    C   D7
For some reason I can't explain,

    G/B   Em(add9)
I know St. Peter won't call my name.

       C   D7
Never an honest word,

              Gmaj7   Em
But that was when I ruled the world.

Interlude 3	C*	Em*	C*	Em*

	C*	Em*	D7* ‖

(D7*)   **C** **D**
Oh, oh, oh, oh, oh,   oh.

                      G **Em(add9)**
Oh, oh, oh, oh, oh,   oh.

                      C **D7**
Oh, oh, oh, oh, oh,   oh.

                      G **Em(add9)**
Oh, oh, oh, oh, oh,   oh.

Oh, oh, oh, oh, oh.

          C   **D7**
Chorus 3   Hear Jerusalem bells a-ringing,

G   **Em(add9)**
Roman cavalry choirs are singing.

C   **D7**
Be my mirror my sword and shield,

    G   **Em(add9)**
My missionaries in a foreign field.

C   **D7**
For some reason I can't explain,

   G/B   **Em(add9)**
I know St. Peter won't call my name.

        Cmaj7 **D***
Never an honest word,

             G**   **Em****
But that was when I ruled the world.

Outro	C**	D	Gmaj7	Em7

	C**	D	Gmaj7	Em7 ‖	*Repeat to fade*

Walk On By

Words by Hal David
Music by Burt Bacharach

Am7   D   Gm7   Dm7   B♭maj7   C   Fmaj7   B♭add#11

Intro | Am7 | Am7 ‖

Verse 1

Am7
If you see me walking down the street
      D   Am7 D   Am7
And I start to cry   each time we meet
D   Gm7 Am7   Gm7
Walk on by,   walk on by.
Am7
Make believe
     Dm7
That you don't see the tears,
     Am7   B♭maj7
Just let me grieve in private
                 C   Fmaj7
'Cause each time I see you, I break down and cry.

Chorus 1

B♭add#11   Fmaj7   B♭add#11
   Walk on by   (don't stop),
              Fmaj7   B♭add#11
Walk on by (don't stop),
              Fmaj7
Walk on by.____

Verse 2

Am7
I just can't get over losing you
      D   Am7 D   Am7
And so if I seem broken in two
D   Gm7 Am7   Gm7
Walk on by,   walk on by.

214

cont.

Am⁷
Foolish pride,

     Dm⁷   **Am⁷**
That's all that I have left, so let me hide

     B♭maj⁷   **C**
The tears and the sadness you gave me

           Fmaj⁷ **B♭add♯4**
When you said goodbye._____

Chorus 2

        Fmaj⁷ **B♭add♯11**
Walk on by (don't stop),

        Fmaj⁷ **B♭add♯11**
Walk on by (don't stop),

        Fmaj⁷ **B♭add♯11**
Walk on by (don't stop),

So walk (on.)

Link

| **Am⁷** | **Am⁷ D** | **Am⁷ D** | **Am⁷ D** | **Am⁷ D** ‖

on._____

Verse 3

Am⁷   **Gm⁷ Am⁷**   **Gm⁷**
 Walk on by,   walk on by,

Am⁷
Foolish pride,

     Dm⁷   **Am⁷**
That's all that I have left, so let me hide

     B♭maj⁷   **C**
The tears and the sadness you gave me

           Fmaj⁷ **B♭add♯11**
When you said goodbye._____

Chorus 3

        Fmaj⁷ **B♭add♯11**
Walk on by (don't stop),

           Fmaj⁷ **B♭add♯11**
So walk on by (don't stop),

                       Fmaj⁷   **B♭add♯11**
Now you really gotta go so walk on by (don't don't stop),

                       Fmaj⁷   **B♭add♯11**
Baby leave me, never see the tears I cry (don't, don't stop),

                       Fmaj⁷   **B♭add♯11**
Now you really gotta go so walk on by (don't, don't stop). *To fade*

Wichita Lineman

Words & Music by Jimmy Webb

Fmaj7   B♭6   C9sus4   B♭maj7   Am7   Gm7 fr3

Dm   Am   G   D   C   Gm fr3   B♭

Intro | Fmaj7 | B♭6 | Fmaj7 | C9sus4   ‖

Verse 1
                              B♭maj7
I am a lineman for the county,
Am7   Gm7
  And I drive the main road
Dm   Am
Searchin' in the sun
      G   D
For another overload.

Chorus 1
                        C
I hear you singin' in the wires,
                          G
I can hear you through the whine,
B♭   D
  And the Wichita lineman
C   B♭   C | B♭ | C9sus4   ‖
Is still on the line._____

Verse 2
                              B♭maj7
I know I need a small vacation,
Am7   Gm7
  But it don't look like rain,
         Dm   Am
And if it snows, that stretch down south
     G   D
Will never stand the strain.

Chorus 2
                                               C
And I need you more than want you,

                                 G
And I want you for all time,

B♭   D
  And the Wichita lineman

C   B♭   C | B♭ | C⁹sus⁴   ‖
  Is still on the line._____

Instrumental | B♭maj⁷ | Am⁷ | Gm⁷ | Dm Am |

| G | D | D | ‖

Chorus 3
                                               C
And I need you more than want you,

                                 G
And I want you for all time,

B♭   D
  And the Wichita lineman

C   B♭   C | B♭ | C⁹sus⁴   ‖
  Is still on the line._____

Outro   ‖: B♭ | C | B♭ | C   :‖ *Repeat to fade*

You Can Get It If You Really Want

Words & Music by Jimmy Cliff

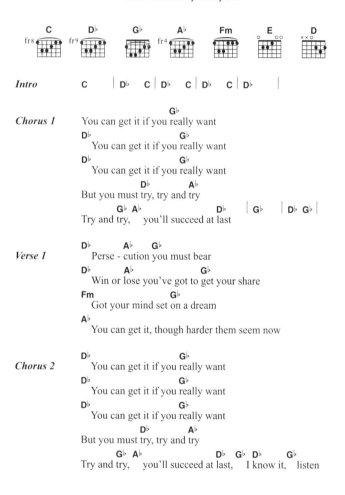

Intro C | D♭ C | D♭ C | D♭ C | D♭ |

Chorus 1
                                  G♭
You can get it if you really want
        D♭   G♭
    You can get it if you really want
        D♭   G♭
    You can get it if you really want
                        D♭   A♭
But you must try, try and try
        G♭ A♭   D♭ | G♭ | D♭ G♭ |
Try and try,   you'll succeed at last

Verse 1
        D♭   A♭   G♭
    Perse - cution you must bear
        D♭   A♭   G♭
    Win or lose you've got to get your share
        Fm   G♭
    Got your mind set on a dream
        A♭
    You can get it, though harder them seem now

Chorus 2
        D♭   G♭
    You can get it if you really want
        D♭   G♭
    You can get it if you really want
        D♭   G♭
    You can get it if you really want
                        D♭   A♭
But you must try, try and try
        G♭ A♭   D♭ G♭ D♭   G♭
Try and try,   you'll succeed at last,   I know it,   listen

Verse 2

D♭   A♭   G♭
Rome was not built in a day
D♭   A♭   G♭
Oppo - sition will come your way
Fm   G♭
But the hotter the battle you see
A♭
It's the sweeter the victory, now

Chorus 3

D♭   G♭
You can get it if you really want
D♭   G♭
You can get it if you really want
D♭   G♭
You can get it if you really want
          D♭   A♭
But you must try, try and try
      G♭ A♭   (D♭)
Try and try,   you'll succeed at last.

‖: D♭ | E | G♭ | A♭ G♭ E D :‖
(last)

Chorus 4

D♭   G♭
You can get it if you really want
D♭   G♭
You can get it if you really want
D♭   G♭
You can get it if you really want
          D♭   A♭
But you must try, try and try
      G♭ A♭   D♭ G♭ D♭
Try and try,   you'll succeed at last, I know it.

Outro

   G♭   D♭
‖: Don't I show it
G♭   D♭
So don't give up now. :‖ *Repeat to fade*

You Do Something To Me

Words & Music by Paul Weller

Em   Em6/9   Em7   D   Am7   Bm7

C7/G   C/D   C7   G   A7   C

Intro　　　| Em   Em6/9 Em7 | Em   Em6/9 Em7 | Em   Em6/9 Em7 | Em |

Verse 1
(Em)   D   Am7
You do something to me,

Bm7   Em
Something deep inside.

                      D   Am7
I'm hanging on the wire,

            Bm7   Em
For the love I'll never find.

Verse 2
                    D   Am7
You do something wonderful,

          Bm7   Em
Then chase it all away.

                  D   Am7
Mixing my emotions,

            Bm7   Em
That throws me back again.

Chorus 1
                        C7/G   Am7
Hanging on the wire, yeah,

          C/D   Em
I'm waiting for the change.

C7   G
   I'm dancing through the fire,

            A7   C   C/D   Em
Just to catch a flame and feel real again.

Guitar solo   ‖: D | Am7 Bm7 | Em | Em   :‖

Chorus 2   As Chorus 1

                 (Em)   D   Am7
Verse 3   You do something to me,
              Bm7   Em
              Somewhere deep inside.
                          D   Am7
              I'm hoping to get close to
                Bm7   Em
              A peace I cannot find.

                            C7/G   Am7
Chorus 3   Dancing through the fire, yeah,
              C/D   Em
              Just to catch a flame.
              C7   G
                Just to get close to,
                  A7   C7   C/D Em
              Just close enough to tell you that:
                            D   Am7
              You do something to me,
              Bm7   Em   Em6/9 Em7
                Something deep inside.

              | Em Em6/9 Em7 | Em Em6/9 Em7 | Em Em6/9 Em7 | Em   ‖

221

Your Song

Words & Music by Elton John & Bernie Taupin

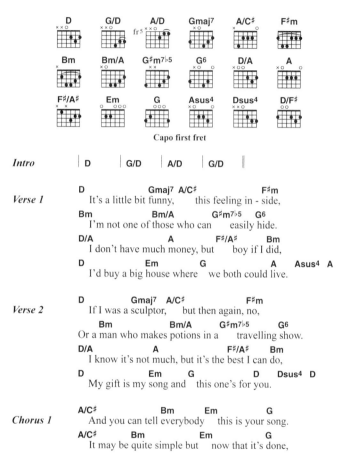

Capo first fret

Intro	| D	| G/D	| A/D | G/D ||

Verse 1

D   Gmaj7   A/C♯   F♯m
It's a little bit funny,   this feeling in - side,

Bm   Bm/A   G♯m7♭5   G6
I'm not one of those who can   easily hide.

D/A   A   F♯/A♯   Bm
I don't have much money, but   boy if I did,

D   Em   G   A   Asus4   A
I'd buy a big house where   we both could live.

Verse 2

D   Gmaj7   A/C♯   F♯m
If I was a sculptor,   but then again, no,

   Bm   Bm/A   G♯m7♭5   G6
Or a man who makes potions in a   travelling show.

D/A   A   F♯/A♯   Bm
I know it's not much, but it's the best I can do,

D   Em   G   D   Dsus4   D
My gift is my song and   this one's for you.

Chorus 1

A/C♯   Bm   Em   G
And you can tell everybody   this is your song.

A/C♯   Bm   Em   G
It may be quite simple but   now that it's done,

cont.

Bm   Bm/A
 I hope you don't mind,

        G♯m7♭5   G6
I hope you don't mind that I put down in words

    D/F♯ G   A   Asus4 A
How wonderful life is while you're in the world.

Link | D | G/D | A/D | G/D ‖

Verse 3

D   Gmaj7 A/C♯   F♯m
 I sat on the roof   and kicked off the moss,

    Bm   Bm/A   G♯m7♭5 G6
Well a few of the verses, well they've got me quite cross.

D/A   A   F♯/A♯   Bm
 But the sun's been quite kind while I wrote this song,

D   Em G   A   Asus4 A
 It's for people like you that keep it turned on.

Verse 4

D   Gmaj7 A/C♯   F♯m
 So excuse me for - getting, but these things I do,

Bm   Bm/A   G♯m7♭5   G6
 You see I've for - gotten if they're green or they're blue.

D/A   A   F♯/A♯ Bm
 Anyway the thing is, what I really mean,

D   Em   G   D
 Yours are the sweetest eyes I've ever seen.

Chorus 2

A/C♯   Bm   Em   G
 And you can tell everybody this is your song.

A/C♯ Bm   Em   G
 It may be quite simple but now that it's done,

Bm   Bm/A
 I hope you don't mind,

        G♯m7♭5   G6
I hope you don't mind that I put down in words

    D/F♯ G   A   Asus4 A
How wonderful life is while you're in the world.

Bm   Bm/A
 I hope you don't mind,

        G♯m7♭5   G6
I hope you don't mind that I put down in words

    D/F♯ G   (D)
How wonderful life is while you're in the world.

Outro | D | G/D | A/D | G/D | D ‖

123456789

223